P9-CDU-749

Henri Stierlin

Photos: Anne et Henri Stierlin

TURQUIE

Des Seldjoukides aux Ottomans

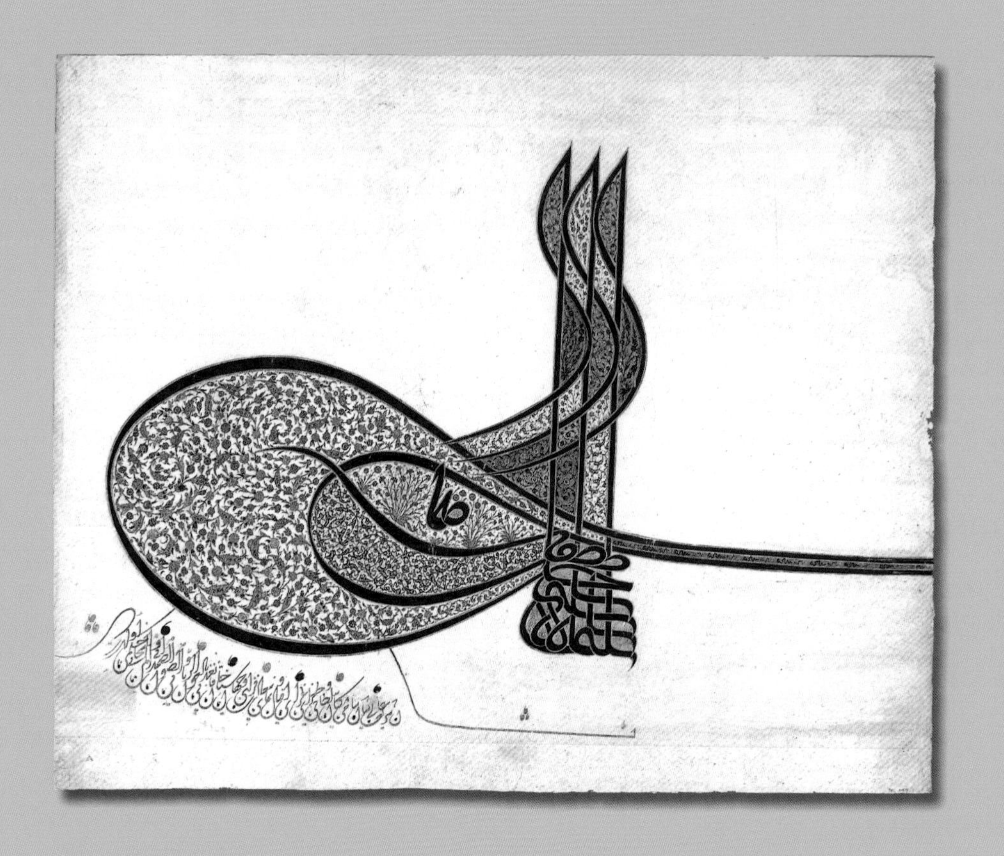

TASCHEN

KÖLN LISBOA LONDON NEW YORK PARIS TOKYO

Couverture
Edirné, Détail de la Sélimiyé, 1568–1574
© Photo: Henri Stierlin

Dos de Couverture
Edirné, Coupe longitudinale de la Sélimiyé, 1568–1574
© Dessin: Alberto Berengo Gardin

Page 3
Signature d'un décret (*firman*) du sultan Soliman, datant de 1555–1560. Ce document officiel présente une graphie ornementale d'un raffinement extrême, en harmonie avec la délicatesse du décor floral des faïences qui revêtent les monuments de l'époque. (The Metropolitan Museum of Art, Rogers Fund, 1938, 38.149.1, New York)

Page 5
Dans son palais de Top Kapi Saray, à Istanbul, orné de faïence polychrome, le sultan Soliman le Magnifique trône au milieu d'une salle à coupole, devant une cour où murmure une fontaine. Selon la représentation persane des miniaturistes turcs à l'école de Tabriz, l'image de l'architecture obéit à une perspective étagée. Manuscrit du «Süleyman-Namé» (ou «Vie de Soliman»), achevé en 1558. (Bibliothèque de Top Kapi Saray, Istanbul)

L'auteur et directeur de publication
Henri Stierlin, né en 1928 à Alexandrie, termine des études universitaires (latin-grec) à Zurich et Lausanne avant de se lancer dans le journalisme. Il réalise de nombreuses émissions radiophoniques et de télévision sur l'histoire des civilisations. Sous sa direction paraît un grand classique: l'«Architecture universelle» en 16 volumes, publié par les Éditions de l'Office du Livre. Henri Stierlin a analysé l'architecture classique dans plusieurs ouvrages, parmi lesquels «Le Monde de la Grèce», Paris 1980, et «Grèce d'Asie», Paris 1986.

Hohenzollernring 53, D-50672 Köln
www.taschen.com

Direction éditoriale: Angelika Taschen, Cologne
Rédaction: Susanne Klinkhamels, Caroline Keller, Cologne
Collaboration: Bettina Pousttchi, Cologne
Design et mise en page: Marion Hauff, Milan

Printed in Singapore
ISBN 3-8228-1801-1

Sommaire

Introduction

L'expansion turque au Proche-Orient

Une parure de faïence
Iris, œillets, bleuets et tulipes jonchent les carreaux de céramique polychrome qui rehaussent de leurs arabesques florales l'architecture ottomane. L'art de la faïence ornementale est issu des ateliers de Tabriz, d'où nombre d'artisans furent déportés vers Iznik par Sélim Ier, au lendemain de la bataille de Tchaldiran contre les Perses en 1514. Désormais, Iznik devint le grand centre de production de la céramique turque. (Collection particulière)

Dans l'aire méditerranéenne, la Turquie est l'une des régions qui a connu la plus grande floraison architecturale sous l'égide de l'Islam : durant les règnes des sultans seldjoukides et ottomans, la création d'écoles (*madrasa*), de mosquées (*djami* ou *cami*), de bains (*hammam*), de caravansérails (*khan*), de tombeaux (*türbé*) et de palais (*saray*) dans toute l'Asie Mineure, puis en Turquie d'Europe et à Istanbul (Constantinople), totalise une quantité de chefs-d'œuvre. Cette éclosion de l'art turc représente l'un des fleurons de la production islamique entre le XIIIe et le XIXe siècle.

Qui sont ces Turcs qui succèdent aux Grecs, aux Romains et aux Byzantins sur les territoires des vieilles civilisations? Qui est donc ce peuple dont la présence en Anatolie résulte des ultimes vagues des grandes invasions en provenance de l'Asie centrale et qui ont profondément bouleversé l'ordre du monde antique?

Origine du peuple turc

Au lendemain de leur victoire remportée à Mantzikert en 1071 sur l'empereur byzantin Romain IV Diogène, les Turcs s'établissent dans la steppe du centre de l'Anatolie, d'où ils atteignent bientôt les côtes de la Méditerranée, de la mer Noire, de la mer de Marmara et de l'Égée.

On s'accorde en général pour admettre que les tribus nomades turques sont originaires des zones de forêts des monts Altaï, aux confins de la Sibérie, de la Mongolie et de la Chine. Au cours de leurs migrations dans les immenses plaines de l'Asie centrale, les Turcs, qui sont apparentés aux Huns, aux Mongols, aux Ouïgours et aux Oghouz, ainsi qu'à différentes branches connues sous leurs appellations chinoises (Xiongnu, Tabhatch, Shatuo, etc.), jouent un rôle considérable entre Pacifique et Europe orientale.

En de multiples occasions, les populations enumérées ci-dessus se mettent en marche, tantôt pour conquérir des territoires qui ont perdu leur cohésion – c'est le cas lorsqu'elles passent la Grande Muraille de Chine ou enfoncent le *limes* romain sur le Rhin et le Danube –, tantôt à la suite de sécheresses ou de changements climatiques, pour échapper à la famine en pillant les greniers et le fourrage des sédentaires.

Dès 552, les Turcs, s'émancipant d'un khan protomongole, sont les maîtres d'un vaste empire des steppes. Le succès de leurs armes leur permet de réaliser d'importantes conquêtes, en particulier en Transoxiane, où ils prennent contact avec la Perse des Sassanides. Ils s'assurent les abords de la mer d'Aral et de la Caspienne. Certaines tribus entrent en conflit avec Byzance, d'autres avec les Arabes qui, dans leur expansion, ont battu au Talas, en 751, les armées chinoises.

Les meilleures troupes turques s'engagent alors comme esclaves-soldats (*mamelouks*) au service des Samanides de la Perse et des Abbassides de Bagdad. Désormais, elles adoptent en masse la religion musulmane, d'obédience sunnite, et se frottent à la haute culture arabe, dont la civilisation s'épanouit aux VIIIe–IXe siècles dans un empire qui va de l'Afrique du Nord aux portes de l'Inde.

L'un de ces esclaves-soldats au service des Samanides s'empare du pouvoir et fonde le royaume des Ghaznévides, en 962 sur le Syr-Daria (Iaxarte). Toghrul Beg (1038–1063) crée alors le sultanat des Seldjoukides: après s'être rendu maître de Ghazni, la capitale de son «cousin», il s'empare de la Perse et déplace, en 1051, le centre du pouvoir à Ispahan. Il s'engage dans la lutte contre les chiites et se range au côté du calife. Se proposant comme «protecteur du califat», il établit sa garnison à Bagdad en 1055. Les derniers représentants d'une dynastie abbasside sur le déclin sont désormais maintenus en tutelle par leur «garde prétorienne» ...

Puis le sultan Alp Arslan, qui succède à Toghrul Beg de 1063 à 1073, prend Alep, s'empare de l'Arménie et remporte contre les Byzantins une victoire décisive en 1071 à Mantzikert, sur le plateau anatolien. Dès lors, la pénétration turque en Asie Mineure ne rencontre plus guère de résistance. Les tribus d'envahisseurs occupent le pays, ayant atteint les limites du continent asiatique. Alp Arslan fait souche dans le vaste espace que borde la mer sur trois côtés, marquant une manière de *finis terrae*, c'est-à-dire d'extrémité du monde. Il fixe son peuple sur ces terres qu'ont habitées tant de glorieuses cultures, où se sont affronté tant de conquérants: les Hittites, les Perses de Darius et de Xerxès, les Grecs d'Alexandre, les Romains de Pompée, de Trajan, les Byzantins d'Héraclius, les Sassanides de Chosroès, les Omeyyades de Moawiya, et bien d'autres.

Cette branche de la «nation» turque, par opposition à celle de Perse, qualifiée de «Grands Seldjoukides», formera l'empire seldjoukide de Roum (1077–1308), par référence aux Roumi ou Romains, attestant par là-même que les Turcs s'y substituent à l'autorité de Constantinople. C'est sur la base de ce pouvoir que se constituera, au XIVe siècle, grâce à l'une de ses tribus les plus dynamiques – celle des Osmanli ou Ottomans – la Turquie médiévale et moderne, dont l'empire s'étendra à tout le Proche-Orient, à l'Europe orientale et à l'Afrique du Nord, de l'Égypte à l'Atlantique.

Pendant que les troupes des Seldjoukides de Roum atteignent les rivages anatoliens, d'autres escadrons turcs poursuivent leurs formidables conquêtes, occupant, sous Malik Shah (1073–1092), la Transoxiane, le Kerman et la Syrie, et pénétrant dans les villes de Damas et de Jérusalem. La mainmise des sultans musulmans sur la Cité Sainte provoque dans tout l'Occident chrétien un vent de panique. L'Europe considère l'irruption des Seldjoukides comme une rupture de l'équilibre qui s'était instauré entre les Arabes et les royaumes européens. Face au risque que fait peser la menace turque sur les pèlerinages chrétiens en Palestine, et dans la crainte que l'accès aux Lieux Saints lui soit interdit, l'Occident proclame la nécessité de lancer une Croisade. Le pape Urbain II déclare solennellement, en 1095, qu'il faut délivrer Jérusalem et le Golgotha, théâtre de la Passion du Christ. La guerre est donc déclarée entre les forces chrétiennes et les armées seldjoukides et arabes. Une guerre dont maint épisode se déroule en Anatolie, avec pour acteurs le *basileus* de Constantinople, très affaibli, les seigneurs de la Croisade, les Arméniens, et, comme intervenant inattendu, l'envahisseur mongol et ses hordes qui comptent elles-mêmes de nombreux guerriers turcs dans leurs rangs. Au XIIIe siècle, les Mongols s'avancent jusqu'à Konya, mais ne s'y maintiennent pas, au grand soulagement des Seldjoukides qui peuvent poursuivre leur assimilation du milieu byzantin.

Les fondements de la «nation» turque

Une communauté de langue fonde l'unité des diverses tribus turques. Ces populations turcophones forment, avec les Mongols, ainsi peut-être que les Coréens et les Japonais, un groupe linguistique qui se rattache à l'ensemble ouralo-altaïque. Il s'agit d'une langue agglutinante, dont la syntaxe fonctionne au moyen de suffixes; elle ne comporte qu'une seule déclinaison et qu'une seule conjugaison.

Après avoir utilisé, pour transcrire la langue turque, des caractères dérivés du sogdien (runiformes et ouïgours), les Turcs, s'étant convertis à l'Islam, ont recouru à l'écriture arabe, bien qu'elle soit mal adaptée à leur langue. Ils n'ont cessé de

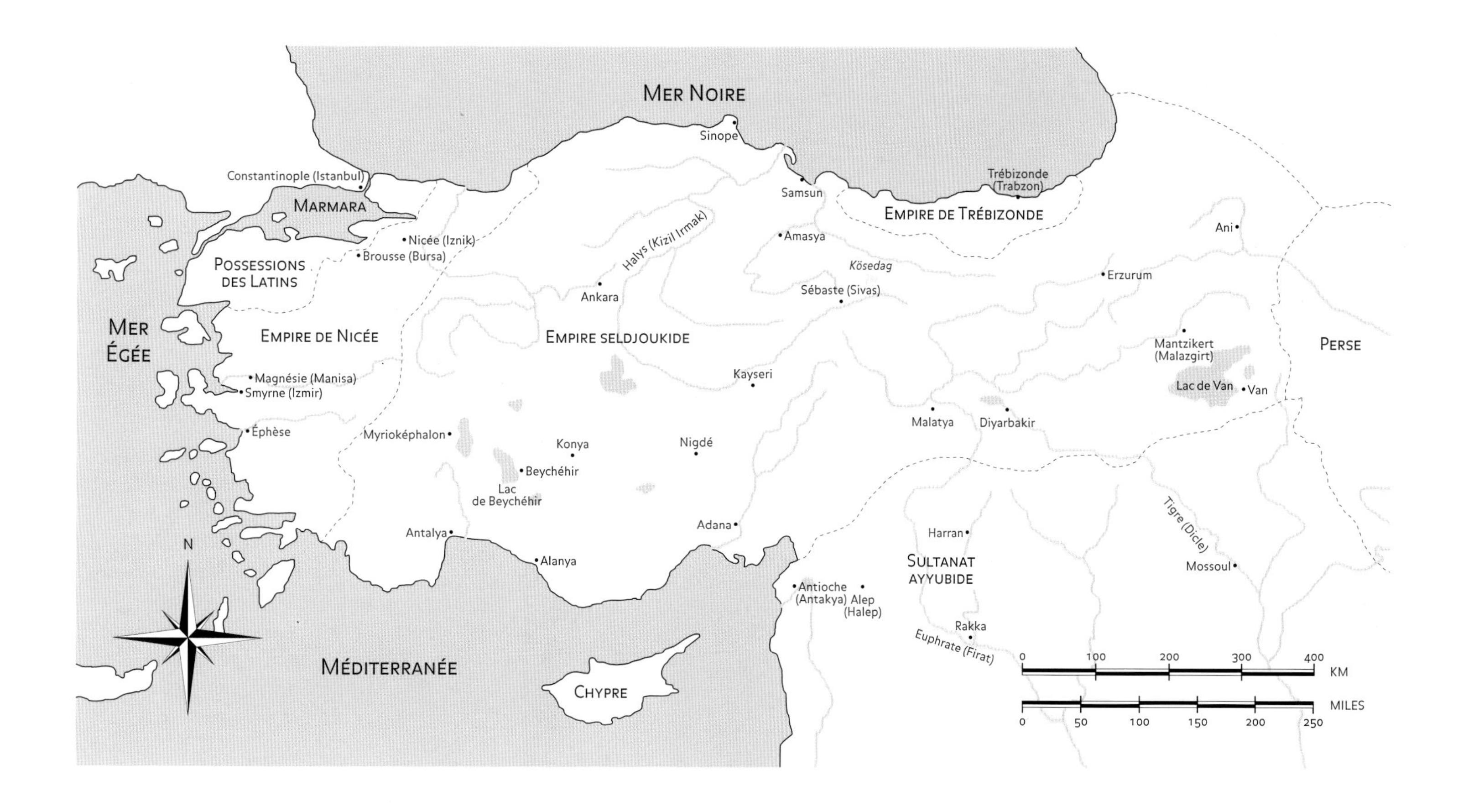

Le sultanat des Seldjoukides de Roum
Carte de l'empire seldjoukide d'Anatolie au XIIIe siècle. La puissance turque ne laisse subsister, à l'ouest de l'Anatolie, que le royaume de Nicée et les possessions des Latins, créées au lendemain de la prise de Constantinople par les Croisés (1204). Au Nord, les Byzantins tiennent encore l'empire de Trébizonde. Au Sud-Est, les Seldjoukides de Roum jouxtent le sultanat des Ayyubides et l'empire de Perse.

pratiquer cette graphie qu'en 1928. À cette date, sous l'impulsion de Mustafa Kemal Atatürk, ils adoptent les caractères latins. Il s'en est suivi, pour la grande masse des Turcs modernes, une coupure d'avec le passé: une quantité de textes non translittérés ne sont accessibles qu'aux fins lettrés et doivent faire, aujourd'hui, l'objet de travaux de spécialistes pour retrouver leur place dans le patrimoine national.

À propos de leur langue, il faut souligner que les Turcs forment, au sein de la communauté musulmane – comme d'ailleurs les Perses – une exception notable: en se convertissant à la religion islamique, ils n'ont pas adopté l'arabe, langue du Coran. En effet, l'arabe s'était imposé en Égypte et dans toute l'Afrique du Nord, ainsi qu'en Palestine, en Syrie et en Mésopotamie. Contrairement à ces pays qui n'ont pas tardé à considérer l'arabe comme un ciment culturel, les sultans turcs ont conservé leur langue d'origine et l'ont imposée au sein du monde musulman.

Quel était le bagage culturel des Turcs à leur arrivée en Anatolie? À l'origine, on a affaire, ainsi qu'on l'a souligné, à des tribus nomades ou semi-nomades, habiles à la guerre, et qui pratiquent une existence pastorale. Ils vivent sous des tentes de feutre (yourtes), habitations démontables qui ne comportent qu'un maigre mobilier (tapis, tentures, coussins). Les chamans – prêtres magiciens qui entrent en relation avec les forces surnaturelles et pratiquent la divination – sont les détenteurs des traditions et du savoir. En réalité, aussi longtemps qu'ils sont restés nomades, les Turcs n'ont guère subi l'influence des grandes nations sédentaires avec lesquelles ils ont été en contact lors de leurs campagnes et razzias. Aussi peut-on dire qu'avant leur établissement permanent dans les zones de vieilles civilisations, ils ne disposaient que de notions très frustes en matière d'art et d'architecture.

Au cours de leur longue errance (au premier millénaire), les Turcs sont en contact, à l'Est, avec la Chine des Han (206 avant J. C.–220 après J. C.), puis avec les Trois Royaumes et les Six dynasties (220–581), et enfin avec les Sui (581–618). Ces affrontements, qui conduisent des Turco-Mongols à occuper parfois le trône impérial de la Chine, sont moins violents à l'époque des Tang ou des Song (618–1279), mais se poursuivent néanmoins fort longtemps, ainsi qu'en témoignent des influences chinoises sur la culture des Timurides.

L'affirmation des Seldjoukides
Portique de la Madrasa de Cifte Minare Medresesi, à Erzurum, 1253. Au milieu du XIIIe siècle, l'architecture turque trouve une forme rigoureuse d'expression, faite d'arcs en tiers-point que raidissent des tirants et de colonnes que rythment des décors géométriques.

Vers l'Ouest, les conquêtes turques aux IXe–Xe siècles en Transoxiane et au Khorasan, dans l'aire persane, puis dans tout le Moyen-Orient, font des Seldjoukides une sorte de plaque tournante des courants culturels et des traditions les plus diverses. Ils sont en relation étroite avec les Persans, les Arabes, les Syriens, les Arméniens et les Byzantins. Dans toutes ces civilisations, ils puisent un savoir dont ils font un vaste fonds culturel commun.

Ainsi, sous leur règne à Boukhara, Samarkand et Ispahan, l'art de bâtir prend un essor exceptionnel, avec la découverte d'une quantité de techniques de couvrement et de formes ornementales nouvelles: voûtes en carènes, coupoles sur trompes, *iwân* à stalactites, auxquels s'ajoute un brillant développement de la faïence architecturale, de la céramique, de la calligraphie, du livre, de la miniature, etc.

Les sultans seldjoukides favorisent non seulement l'édification de mosquées et d'écoles coraniques, mais sont de puissants promoteurs des arts. À leur Cour, le mécénat attire poètes, peintres, savants, astronomes et physiciens. Parfois même, le sultan rassemble autoritairement dans sa capitale l'élite artistique et culturelle du pays, qu'il contraint à travailler pour le pouvoir. En même temps, les céramistes restent en relation avec ceux de la Chine, ainsi que le démontre la somptueuse production de Nishapour ...

Cet appétit culturel est, bien entendu, le fait de souverains qui, en se sédentarisant, ont assimilé la pensée arabe et persane. Ces sultans et leurs proches – qui détiennent le pouvoir – savent tirer un grand profit des ressources intellectuelles qu'offrent les pays sur lesquel ils règnent sans partage.

Il n'en va pas de même, évidemment, pour les tribus qui poursuivent leur avance conquérante en Anatolie. Ces Turcs-là, encore peu acculturés, seront relativement lents à maîtriser les usages urbains, à apprécier les arts, à créer un style original. Ne dit-on pas que les sultans seldjoukides, au temps de la Troisième Croisade (1190), passaient encore l'été sous la tente, hors de l'enceinte de leur capitale, Konya!

Si les Turcs ont envahi l'Asie Mineure dès 1071, il faut attendre un siècle et demi pour que débute l'essor de l'art et de l'architecture seldjoukides d'Anatolie. Car ils ont dû faire face à l'affrontement, sur leur territoire encore mal stabilisé, des forces chrétiennes (Croisés et Byzantins) et des troupes musulmanes (Ayyubides). Il leur a fallu également mater les ambitions de clans turcs rivaux, tels que les Danichmendites.

C'est à Kilij Arslan II (1155–1192) que revient le mérite d'unifier l'Anatolie après la victoire de Myrioképhalon sur les Byzantins, en 1176. Deux ans plus tard, il ruine le clan des Danichmendites. Les Croisés parviennent pourtant à occuper provisoirement Konya en 1190, avant que Keyhüsrev Ier (1192–1196, 1204–1210) ne reprenne en main l'ensemble du territoire.

Paradoxalement, ce n'est pas sur l'héritage de Byzance que les Seldjoukides d'Anatolie fondent leur technologie artistique et architecturale, ou leurs formules stylistiques: les influences locales grâce auxquelles ces nomades fraîchement sédentarisés se dotent d'une capacité de bâtisseurs proviennent essentiellement des Syriens du Nord et des Arméniens. Les premiers sont d'habiles tailleurs de pierre à qui l'on doit les innombrables églises et monastères formant, depuis la conquête arabe, les «villes mortes» chrétiennes situées au nord d'Alep.

Quant aux Arméniens, admirables architectes, maîtrisant tous les secrets de la stéréotomie, ils ont connu bien des avanies. Leur nouvelle capitale, Ani, a été ravagée par les Byzantins avant de tomber sous la coupe des Seldjoukides. Dès lors, ils s'efforcent de reconstituer au sud de l'Anatolie un «refuge national». Un prince Bagratide a fondé, en 1080, le royaume de Petite Arménie dans les montagnes de Cilicie. Ces «réfugiés» s'allient aux Croisés du Royaume latin mais savent composer avec les sultans seldjoukides.

L'affrontement avec l'Europe centrale
Le temps de Soliman le Magnifique est marqué par les conquêtes des janissaires du Sultan, qui, en 1529, assiègent Vienne, capitale de l'empereur Charles Quint. L'échec de cette tentative met un frein à l'expansion ottomane en Europe. Miniature du «Süleyman-Namé» (ou «Vie de Süleyman», de 1558) figurant la ville de Belgrade lors de l'assaut qui devait l'emporter en 1521. (Bibliothèque du Musée de Top Kapi Saray, Istanbul)

Issues de ces deux communautés soumises aux forces islamiques, des équipes d'artisans et de bâtisseurs s'engagent au service des Seldjoukides. Pour ces maîtres d'œuvre, ils édifient, en une centaine d'années, et avec le concours de la main-d'œuvre autochtone, un ensemble imposant de monuments, dont la construction se situe entre le début du XIIIe et les premières décennies du XIVe siècle.

Politique d'équipement des Seldjoukides de Roum

Deux préoccupations majeures semblent animer la politique des sultans anatoliens lorsqu'ils entreprennent de réaliser un vaste programme d'édifices publics: d'une part, le souci de diffuser un Islam relevant de la plus pure orthodoxie sunnite, grâce à la création de nombreuses *madrasa* ou écoles coraniques, et, d'autre part, la volonté de doter leur territoire de voies de communications sûres favorisant le commerce international, grâce à une chaîne cohérente de relais – les *khan* ou caravansérails fortifiés. Ceux-ci jalonnent les routes reliant, à travers l'Anatolie, la mer Noire à la Méditerranée: ils forment, tous les trente kilomètres environ – équivalant à une étape journalière –, un véritable chapelet sur les axes nord-sud et est-ouest.

Ponctué par les antiques cités auxquelles ont succédé Konya (Iconium), Kayseri (Césarée) ou Sivas (Sébaste), le réseau des grandes routes de caravanes relie les ports de Samsun (Amisos) à Antalya (Attaleya) et Silifké (Séleucie). Il permet ainsi la traversée du plateau anatolien sans passer par les périlleux Détroits ni par l'Égée, tenus par Byzance.

Relais de caravanes anatoliennes
Sur les hauts plateaux de l'Asie Mineure, les caravansérails construits au XIIIe siècle par les sultans seldjoukides de Roum présentent des superbes espaces internes voûtés qui évoquent la nef d'une église médiévale. La salle d'hiver du Sultan Han, au nord-est de Kayseri, datant de 1232, devait accueillir les marchands venant d'Asie centrale ou de Méditerranée.

Outre les mosquées qui répondent au besoin de la prière quotidienne dans les cités, et les bains ou *hammam* qui, dans la tradition antique, perpétuent le luxe de l'eau en région de steppe, cette politique fondée sur la *madrasa,* au plan idéologique, et sur le caravansérail, au plan économique, atteste une clairvoyance remarquable des Seldjoukides. Ceux-ci ne tardent pas à faire de leur domaine un foyer de rayonnement spirituel – qui s'exprime dans l'œuvre de mystiques tels que Haci Bektach et Mevlâna – et un puissant centre d'échanges et de négoce, situé au point d'intersection des voies provenant de l'Orient et de l'Occident.

Les caravanes qui arrivent du nord de la Perse apportent jusqu'aux rives de la mer Noire les produits précieux (soie, tapis, épices, esclaves du Kiptchak). Elles sont relayées par celles qui, des ports de la côte septentrionale de l'Anatolie, traversent

Page 13
Un décor efflorescent
La façade de l'Indje Minare Medrese, à Konya, construite en 1265, offre une somptueuse ornementation sculptée, propre à l'art seldjoukide d'Anatolie. Les bandeaux d'inscriptions alternent avec des motifs géométriques et floraux.

Centre de la ferveur mystique anatolienne
À Konya, le Mausolée de Mevlâna, ou Djalal al-Din Rumi, poète mystique originaire de Balkh et mort à Konya en 1273, est le centre des derviches tourneurs, dont la danse conduit les participants à l'illumination spirituelle. Son *türbé* (mausolée) couvert de faïence verte (couleur du Prophète et de l'Islam) est un but de pèlerinage célèbre.

les hauts plateaux pour gagner la Méditerranée, d'où ensuite d'autres flottes commerciales les diffusent dans les domaines des Ayyubides de Syrie et des Mamelouks d'Égypte. Mais il faut compter aussi avec les ouvertures qui se dessinent vers l'Occident, grâce à l'établissement de comptoirs génois et vénitiens qui servent de relais dans un marché que favorise la présence des Croisés.

Le règne des Seldjoukides de Roum correspond ainsi à une période faste, où l'afflux de produits, l'intensité des échanges, la vitalité religieuse conduisent à un exceptionnel essor de la construction civile et religieuse, à la réalisation de grandes voies de communication, dotées de ponts et de commodités pour les voyageurs et les négociants, et à un développement de l'habitat urbain.

L'apogée ottoman

Cette politique de l'aménagement du territoire se poursuivra – en s'amplifiant d'ailleurs à l'échelle du vaste monde ottoman – sous les sultans d'Istanbul, lorsque le pouvoir turc aura donné naissance à l'un des plus grands empires de l'histoire qui, à la Renaissance, unit l'aire méditerranéenne au domaine proche-oriental.

Avec l'ascension de la tribu d'Osman, qui, en provenance du Khorasan, s'établit au XIIIe siècle à l'ouest de l'Anatolie – plus précisément au sud de Nicée pour se trouver sur le front des combats contre Byzance –, la nation turque va connaître l'accomplissement de sa puissance. Les sultans d'Iznik (Nicée), de Bursa (Brousse), d'Edirné (Andrinople) conduisent une politique de conquête qui réduit de plus en plus l'espace des Byzantins. Celui-ci ne comprend finalement plus que la ville de Constantinople, ceinte de ses murailles terrestres et maritimes, et certaines possessions sur les rives de la mer Noire (Trébizonde).

Pour s'emparer de la ville impériale, ravagée en 1204 par les Croisés, les sultans multiplient les sièges. En 1453, l'ultime assaut emporte la vieille capitale grecque. Les forces de Mehmed II, surnommé le Conquérant (Fatih), font leur entrée dans une cité dépeuplée. Le sultan livre la ville au pillage, à l'exception de Sainte-Sophie et de quelques églises qui seront transformées en mosquées. Byzance ou Constantinople se nommera désormais Istanbul.

Edirné, capitale des Ottomans
Avant la prise de Constantinople en 1453, Edirné avait été, dès 1365, la capitale des Ottomans. Le sultan Bayazid II (1481–1512), fidèle à cette cité, y fait édifier par l'architecte Hayreddin un ensemble religieux, ou *külliyé*, qui marque un jalon essentiel dans l'affirmation du style ottoman. Cette œuvre compte une mosquée, une *madrasa* et des édifices de soins datant de 1484 à 1488.

Le chef-d'œuvre initial de Sinan
Avec la Mosquée de Shézadé, à Istanbul, l'architecte Sinan a commencé en 1543 une première mosquée sultaniale pour Soliman : perfection d'un plan centré auquel Sinan reviendra à la fin de sa longue carrière. Mais le sultan décide bientôt l'édification d'un monument plus somptueux encore : ce sera la Süleymaniyé.

Alors que la capitale des Ottomans a successivement passé d'Iznik à Bursa, puis à Edirné, des progrès considérables sont visibles dans le domaine bâti : sous l'influence des œuvres byzantines, dont les élites turques ont connaissance avant même la chute de Byzance, les Ottomans élaborent une architecture nouvelle qui trouve son expression propre sous le règne de Bayazid II (1481–1512) : les monuments construits par l'architecte Hayreddin à Edirné et à Istanbul énoncent un classicisme qui prépare les chefs-d'œuvre du milieu du XVIe siècle.

Dès lors, l'expansion ottomane vers l'Europe et vers le Proche-Orient ne cesse de s'accentuer, en particulier sous Sélim Ier (1512–1520), puis sous le règne fastueux de Soliman le Magnifique (1520–1566) qui fait de l'empire des Osmanli une puissance internationale capable de se mesurer à Charles Quint, et dont François Ier recherche l'alliance. C'est sous la direction de Soliman que le grand architecte Sinan construit des dizaines de mosquées admirables, et en particulier la Süleymaniyé. Ces édifices confèrent, aujourd'hui encore, à Istanbul sa silhouette particulière.

Une articulation limpide
L'édification par Sinan de la Süleymaniyé, à Istanbul, marque un apogée. Cette mosquée sultaniale qui sera achevée en 1557 se fonde sur le paradigme de Sainte-Sophie pour marquer des préoccupations d'ordre emblématique que le Sultan voulait exprimer par des réminiscences évidentes. Jeu de la coupole centrale contrebutée par des demi-coupoles et des murs-tympans: la référence à Anthémios de Tralles et Isidore de Milet vise à souligner une «continuité impériale».

Sous Sélim II (1566–1574), Sinan donnera sa plus grande réussite: la Sélimiyé d'Edirné qui marque l'apogée de l'art ottoman. Ses héritiers spirituels n'auront pourtant plus le «souffle» ni l'audace du vieux maître: dès les réalisations de Dawud Agha (Yéni Valide Djami) et surtout de Mehmed Agha, avec la «Mosquée Bleue» (Sultan Ahmed Djami), on perçoit une stagnation: la tradition, les formules consacrées ont remplacé l'imagination, la cohérence et l'audace sinaniennes.

Mais l'empire ottoman donnera encore naissance à de troublantes créations aux XVIIIe et XIXe siècles, avec une manière de «rococo» turc (Nusretiyé Djami, à Tophané), où l'on perçoit une nette influence occidentale.

Durant six siècles, l'architecture turque aura donc suivi une évolution qui, de l'époque seldjoukide au premier style ottoman d'Iznik et de Bursa conduira au classicisme d'Edirné et à l'apothéose des chefs-d'œuvre de Sinan, en une perpétuelle quête spatiale. Cette recherche fait de l'art de bâtir des Turcs l'un des moments les plus originaux et puissants de l'histoire architecturale de tous les temps.

L'apothéose spatiale de la Sélimiyé
C'est sous le règne du sultan Sélim II, successeur de Soliman, que l'architecte Sinan achève en 1574 son chef-d'œuvre le plus accompli : la Sélimiyé d'Edirné. L'espace centré de la mosquée sultaniale se fonde sur un octogone, où les murs-tympans alternent avec des trompes. L'espace inondé de lumière s'y épanouit sous une coupole de 31,5 m de diamètre, culminant à 44 m au-dessus du pavement.

L'Anatolie seldjoukide

Monuments des sultans turcs aux XIIIe et XIVe siècles

Page 21
Répertoire ornemental
Le décor seldjoukide puise son inspiration à des sources très diverses. Il joue tantôt sur les formes géométriques, avec entrelacs, motifs étoilés et stalactites, tantôt sur les thèmes floraux, faits de guirlandes, de bouquets, de pampres. Les anciens symboles – palmes, grenades, acanthes – et les images de l'arbre mythique y alternent avec les dérivés des ordres antiques, tel le chapiteau corinthien qui connaît de multiples variantes.

Lorsque les tribus seldjoukides pénètrent en Anatolie après la bataille de Mantzikert en 1071, elles entrent dans une région que se disputent de longue date chrétiens et musulmans. Ce territoire, qui a été l'aire d'affrontement depuis plusieurs siècles entre Arabes et Byzantins, est passé successivement aux mains de chacun des belligérants. L'Islam s'est installé dès 636 dans la partie orientale de l'Asie Mineure. Les souverains isauriens reconquièrent du terrain: Constantin V s'empare de Mélitène (Malatya) en 751. Puis, sous le règne de Nicéphore Ier, un raid arabe atteint Ancyre (Ankara). Enfin, sous la dynastie macédonienne, Basile Ier reprend pied en 878 en Cappadoce et dans le Taurus. En 962, Nicéphore Phocas recouvre même la Cilicie et Alep, imposant sa loi en Syrie du nord. La région est bientôt reperdue puis reprise par Basile II (994–999).

Au début du XIe siècle, les Turcs font leur apparition à l'Est: les Seldjoukides incendient Mélitène en 1057, mettent à sac Sébaste (Sivas) en 1059, puis Césarée (Kayseri) en 1067. Finalement, vainqueurs des armées byzantines, ils s'installent en 1074 en Cappadoce. Leurs possessions ne cessent de s'étendre à l'Ouest. En 1081, le sultan Süleyman établit à Nicée (Iznik) la capitale de l'État seldjoukide de Roum.

Désormais, l'Anatolie, où les nouveaux venus font souche, est une terre essentiellement turque. Ni la présence des Croisés, ni les possessions latines sur les Détroits, ni même le passage des Mongols de la Horde d'Or (1243) ne modifieront fondamentalement le statut du pays, où ne subsistent que quelques poches de résistance byzantine (Trébizonde).

L'héritage arabe et persan

Héritiers de la science arabe
Parmi les dynasties turques, celle des Artukides – qui régna sur les régions de Diyarbakir et de Mardin (Haute Mésopotamie) – cultiva les connaissances de l'Antiquité, elles-même transmises par les Arabes. Ainsi ce zodiaque qui figure dans un manuscrit d'al-Gazari consacré aux automates, clepsydres et horloges anaphoriques, illustre l'œuvre de ce savant qui vécut avant 1200 de notre ère à la Cour de Nasir Eddin (1185–1200). C'est l'une des sources majeures sur la mécanique médiévale dans le monde islamique. (Bibliothèque du Musée de Top Kapi Saray, Istanbul)

De la présence des Arabes en Anatolie orientale, de rares vestiges forment l'essentiel de l'héritage dont bénéficient les Seldjoukides en s'établissant dans le pays. Il s'agit en particulier de quelques mosquées conçues selon le plan classique de la salle de prière barlongue (plus large que profonde), à l'instar de la Grande Mosquée des Omeyyades de Damas – laquelle constitue le paradigme éminent.

Dans cette lignée, on citera surtout la Grande Mosquée de Diyarbakir, dont le premier état remonterait au VIIIe siècle et serait donc antérieur à l'époque turque, même si nombre d'aménagements sont postérieurs à 1091. Comme à Damas, on y constate le remploi d'éléments antiques: colonnes, chapiteaux corinthiens, grecques, frises à pampres et canthares, etc. Devant la vaste salle de prière, la cour disposée en largeur, elle aussi, est bordée d'arcades.

Toute cette architecture, en pierre de taille, recourt au matériau local dont se sont servi Grecs, Romains et Byzantins avant les bâtisseurs musulmans. Cette caractéristique propre à l'architecture anatolienne se perpétue au temps des Seldjoukides.

D'autres édifices, remontant aux premières décennies de la présence turque, portent encore l'empreinte arabe: ce sont les grandes mosquées de Mardin, de Dunaysir (Kiziltepe) et de Sivas, ainsi qu'une partie de celle d'Ala ed-Din à Konya, datant de 1155, où le recours au plan barlong atteste le maintien de la tradition propre aux lieux de prière de l'Islam classique.

Les organes de la mosquée

La prière musulmane
La mosquée est le lieu où se rassemblent les musulmans pour la prière. Le Coran prescrit aux croyants cinq prières par jour, qui s'accompagnent de prosternements rituels dans la direction de la Kaaba, à La Mecque. C'est pourquoi toutes les mosquées sont polarisées par cette direction qu'indique le *mihrab*, ou niche ménagée dans le mur formant la *kibla*. À droite du *mihrab* se dresse le *minbar*, chaire surélevée, du haut de laquelle le prédicateur s'adresse aux fidèles.

Il n'est pas inutile de rappeler brièvement quels sont les organes de la mosquée, lieu de prière de l'Islam, qui a revêtu des formes très diverses dans le monde musulman.

La prière, à laquelle le croyant est convié par l'appel du muezzin, qui retentit cinq fois par jour du haut du minaret, doit être effectuée en direction de la Mecque, c'est-à-dire de la Kaaba, ou pierre Noire, but du pèlerinage qui compte parmi les obligations prescrites par la Loi (*umma*). C'est là le centre géographique de l'Islam, tel que l'a institué Mahomet. C'est vers ce point que converge la pensée de tous les musulmans.

L'orientation est donc un élément important du rituel. La direction de La Mecque est indiquée par le *mihrab*. Il s'agit d'une niche ménagée dans la *kibla,* mur qui borde la salle de prière perpendiculairement à une ligne idéale dirigée vers la Kaaba.

À droite du *mihrab* se trouve le *minbar,* ou chaire élevée, à laquelle donnent accès quelques marches du haut desquelles le prédicateur s'adresse à ses auditeurs. Dans les grandes mosquées, une estrade – la *dikka* – sur laquelle prend place un assistant de l'*imam*, permet aux fidèles de suivre les gestes et les prosternements rituels: ainsi la foule peut-elle plus aisément participer à la prière en commun.

Dans la mosquée hypostyle, les portiques peuvent être soit perpendiculaires à la *kibla,* soit parallèles à celle-ci: l'espace couvert détermine le *haram,* c'est-à-dire l'emplacement consacré à la prière.

En général, une cour précède la salle proprement dite. Elle est munie d'une fontaine ou d'un bassin destiné aux ablutions rituelles. La mosquée à cour, de type persan, que l'on trouve aussi dans les domaines des Seldjoukides et des Mamelouks, comporte souvent, sur ses façades sur cour, des *iwân,* grandes niches voûtées qui, généralement, se répondent deux à deux sur les axes de l'édifice. À l'entrée, le *pishtak* est un vaste portail dans l'encadrement duquel s'ouvre la porte d'accès.

On signalera enfin que la *madrasa* reprend, pour l'essentiel, les éléments de la mosquée, et en particulier son orientation, la salle principale ou l'*iwân* jouant le rôle d'espace de prière dispose d'un *mihrab.*

Témoin de la tradition arabe
La vénérable mosquée de Diyarbakir – dans l'est de l'Anatolie – remonte au VIIIe siècle. Après 1091, elle sera l'objet de nombreuses transformations à l'époque turque. Toutefois, son plan qui s'inspire de la Grande Mosquée des Omeyyades à Damas, de même que ses divers éléments de remploi, empruntés à des monuments antiques – colonnes, chapiteaux et modénature à pampres – en font l'un des témoins les plus anciens de l'Islam en Anatolie.

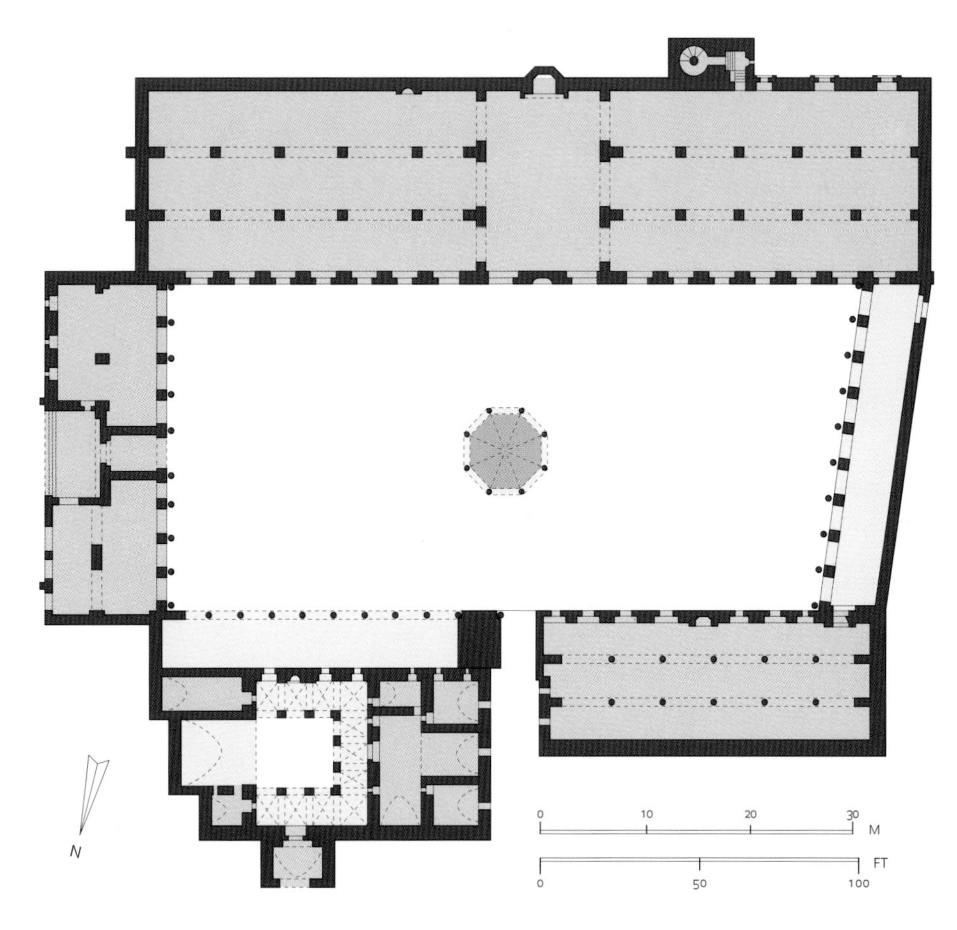

Un plan classique
La disposition de la mosquée de Diyarbakir, avec son plan barlong, dont les ailes à trois travées flanquent une courte nef centrale, et sa vaste cour, est une citation explicite du modèle éminent que constituait la Grande Mosquée des Omeyyades à Damas, remontant à 715.

Décor caractéristique
Le portail de la mosquée de Nigdé est surmonté de la niche à stalactites qui constitue l'ornementation typique de l'art seldjoukide d'Anatolie. Les *mukarna* ornementaux s'inscrivent en encorbellement dans les assises superposées de l'appareil.

À gauche
Une mosquée seldjoukide
Parmi les exemples achevés du style seldjoukide d'Anatolie, l'Ala ed-Din Djami, à Nigdé, construite en 1223, offre son austère silhouette, avec son minaret cylindrique et sa haute porte à encadrement (*pishtak*) derrière laquelle s'ouvre la salle de prière.

Ces mosquées, qui participent toutes du plan hypostyle divisé en nefs et travées, influencent les premières créations purement seldjoukides d'Anatolie. C'est le cas pour la salle de prière de l'Ala ed-Din Djami de Nigdé (1223), bâtiment à trois nefs, dont le *mihrab* est précédé d'une coupole sur trompes, flanquée de deux autres coupoles. Ses cinq travées sont couvertes de voûtes en carène légèrement brisée. Une ouverture centrale, formant un puits de lumière, assure l'éclairage, selon une formule que l'on retrouve dans la salle de prière de la mosquée de Huand Hatun, à Kayseri, datant de 1237. Mais il s'agit là d'un édifice beaucoup plus vaste (56 x 50 m) comptant huit nefs et dix travées, avec une cinquantaine de supports qui reçoivent des arcades massives, perpendiculaires à la *kibla*. Une grande coupole précède le *mihrab*.

Curieusement, la formule hypostyle avec son puits de lumière central existe aussi dans un édifice qui fait figure – avec la mosquée d'Afyon – de survivance d'un modèle très archaïque: il s'agit en l'occurrence de la mosquée d'Echrefoglou à Beychéhir, sur la rive du lac du même nom, en Anatolie occidentale. Cet édifice, achevé en 1296 offre, dans une structure de pierre, une forêt de colonnes de bois qui supportent une couverture plate en charpente: une quarantaine de hauts fûts élancés, surmontés de chapiteaux ornés de stalactites, sont répartis en sept nefs et neuf travées.

Une salle de prière voûtée
Une série de voûtes en berceau légèrement brisé, reposant sur des piliers courts par l'entremise d'arcs surbaissés, forme la salle basilicale de la mosquée Ala ed-Din de Nigdé. Au centre, un puits de lumière assure l'éclairage de l'espace. Au sol, des tapis se prêtent au prosternement des fidèles.

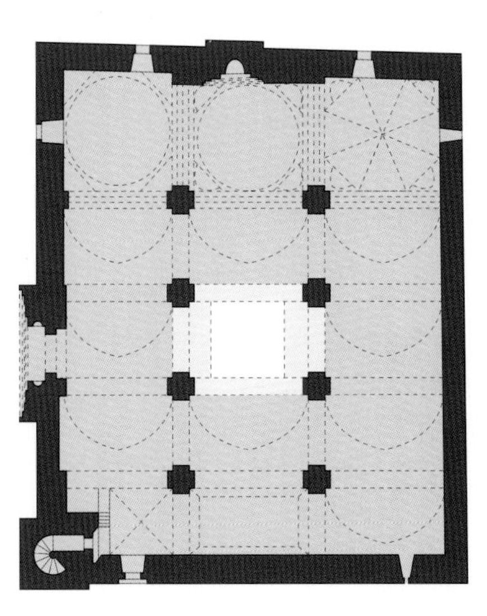

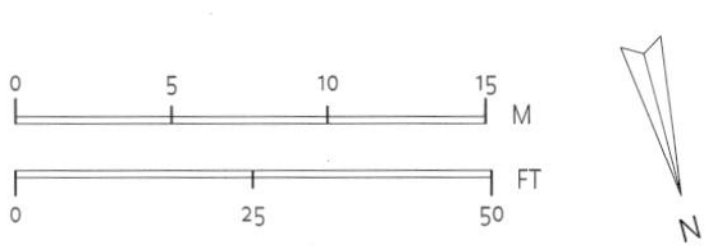

Un plan régulier
S'inscrivant dans un rectangle et présentant une entrée latérale, la mosquée de Nigdé compte trois nefs et cinq travées. Elle est couverte de voûtes dont les arcs retombent sur huit piliers carrés, alors que la travée précédant le *mihrab* est couverte de trois coupoles, dont l'une est pourvue de huit quartiers.

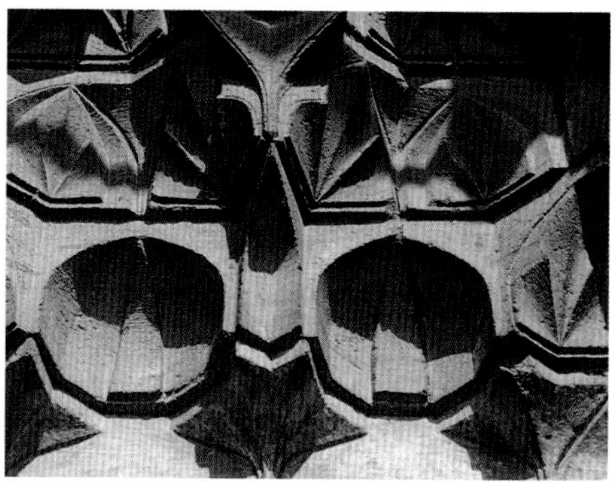

Le jeu des *mukarna*
Le portail de la mosquée de Huand Hatun à Kayseri est surmonté d'une niche tapissée de stalactites à dessin géométrique qui développent une rigoureuse structuration.

En haut à gauche
Une salle de prière à arcades
Dans la mosquée de Huand Hatun, à Kayseri, qui remonte à 1237, la vaste salle de prière comporte huit nefs et dix travées qui s'inscrivent dans un rectangle régulier. Au centre, un puits de lumière précède la structure à coupole disposée devant le *mihrab*. Des arcs transversaux, légèrement brisés, assurent le contreventement.

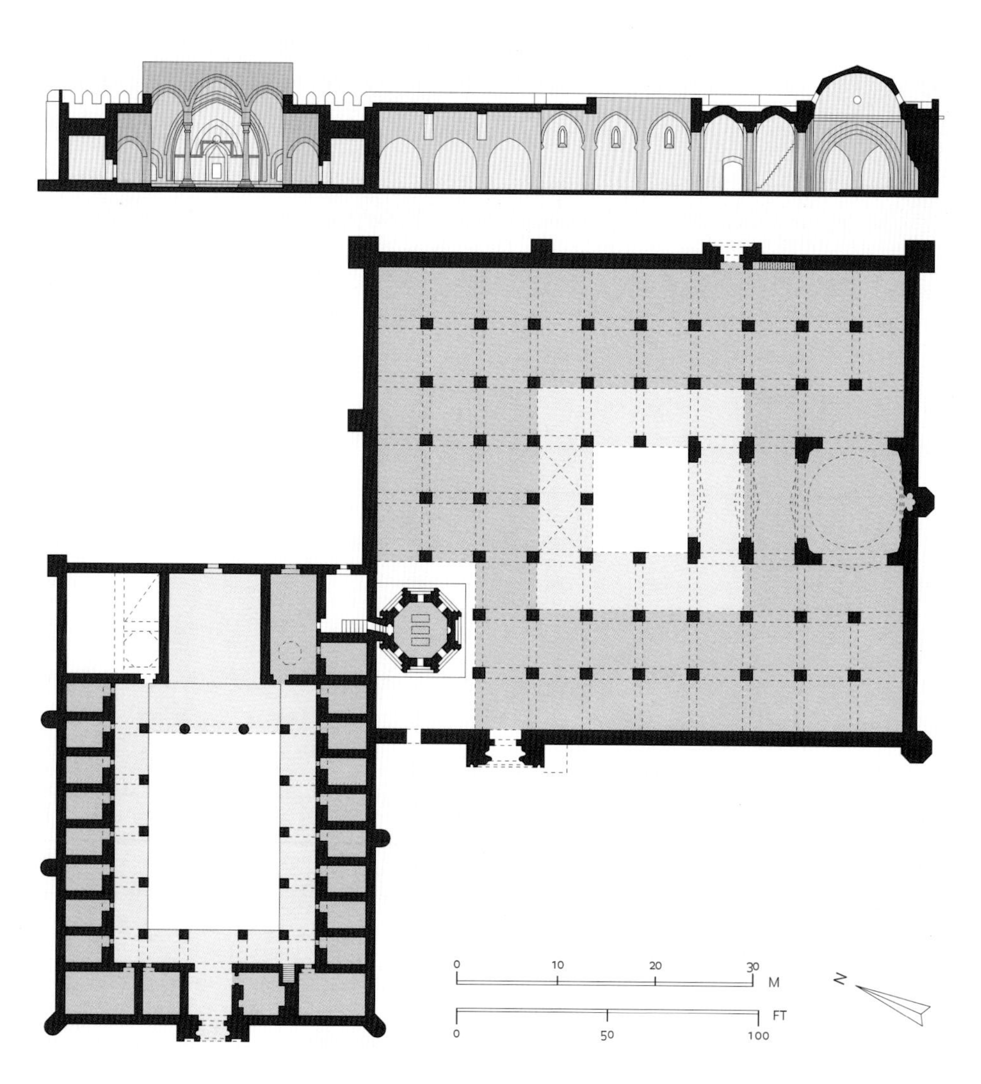

L'ensemble de Huand Hatun
Coupe longitudinale et plan du complexe de Huand Hatun, à Kayseri, avec sa *madrasa* à cour, à gauche, et sa mosquée, à droite : à l'articulation entre les deux bâtiments se situe un beau *türbé* octogonal. Les huit nefs et les dix travées de l'espace de prière sont couvertes de voûtements qui reposent sur 48 piliers carrés et sur des piles massives autour du *mihrab*. La coupe montre la diversité des systèmes de couverture mis en œuvre.

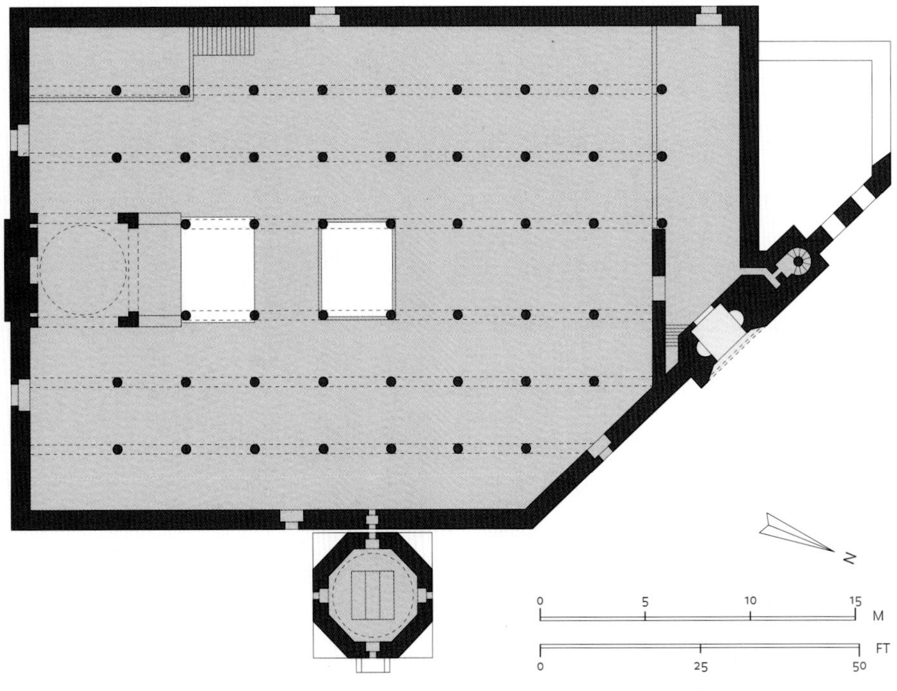

Une salle hypostyle en bois
Avec ses sept nefs et ses neuf travées, la Mosquée Echrefoglou, à Beychéhir, qui date de 1296, enferme un bel espace dans ses murs formant un rectangle dont un pan coupé reçoit la porte d'accès. À l'intérieur, 48 colonnes portent une charpente plate. Deux puits de lumière précèdent le *mihrab*. Un *türbé* complète l'ensemble.

Ces édifices de prière hypostyles, qui révèlent l'influence des plans propres aux mosquées arabes classiques, présentent pourtant des caractères seldjoukides. Ainsi, la façade de l'Ala ed-Din de Konya, achevée en 1220, est dotée d'un beau portail rehaussé de marbres polychromes, typique de l'art seldjoukide de Roum.

Avec ses superbes motifs d'arceaux entrelacés qui cernent un tympan en arc légèrement brisé, avec ses colonnettes à cannelures en zigzag, avec sa plate-bande à claveaux alternés, qui joue le rôle de décharge sur le linteau de la porte, ce décor annonce les formules que l'on retrouvera tant dans les *madrasa* que dans les caravansérails du XIIIe siècle. Encore retenu et relativement sobre dans cet exemple précoce, ce style ornemental connaîtra bientôt un développement considérable dans les édifices cappadociens.

C'est le cas, en particulier, avec la Büyük Karatay Medrese de Konya, achevée en 1251. Le portail qui précède la salle à coupole reprend en partie le langage de celui de l'Ala ed-Din Djami, tout en l'enrichissant d'un tympan à stalactites. Ces alvéoles – ou nids-d'abeilles – sont la transposition en pierre de la formule mise au point, en brique, chez les Grands Seldjoukides d'Ispahan, en Perse.

Un siècle plus tôt, les monuments d'Ispahan offrent en effet des structures à alvéoles qui, dans un premier temps, étaient assez vastes. Elles formaient, par contrebutement réciproque, le voûtement des *iwân* sur cour. Par la suite, avec la miniaturisation du système alvéolaire, les stalactites ne revêtent plus qu'un rôle ornemental. Mais ce décor, dit de *mukarna,* représentera désormais l'un des thèmes récurrents de l'art islamique, qu'il soit persan, arabe ou turc.

Un autre élément d'origine persane fait son apparition dans l'architecture seldjoukide de Roum : les briques revêtues de faïence qui ornent certaines parties des bâtiments – porte ou *mihrab.* C'est le cas, en particulier, dans la Chifahiyé Medrese (Hôpital) de Sivas, où un *iwân* qui précède le *türbé* ou Mausolée de Keykavus est rehaussé d'accents d'un bleu turquoise. L'origine de ce décor polychrome remonte aux briques émaillées produites à Kashan, au sud-est de la Perse.

Les auteurs arabes du Xe siècle mentionnent déjà l'usage de la glaçure bleue ornant des coupoles à Bagdad. Cette couleur était obtenue à l'aide de cobalt, de soufre et d'arsenic. Par la suite, l'art seldjoukide recourra souvent à un décor de

Chapiteau à stalactites
Le décor des chapiteaux de bois de la Mosquée Echrefoglou illustre l'adaptation de cette architecture seldjoukide, issue de lointains modèles autochtones, aux formules créées par le monde islamique.

Une forêt de fûts
Les hautes et élégantes colonnes de bois qui supportent la couverture de la Mosquée Echrefoglou, à Beychéhir, datant de 1296, représentent la survivance d'un type de salle de prière archaïque, propre au monde seldjoukide d'Anatolie. Le modèle dont il s'inspire semble remonter aux prototypes de l'architecture moyen-orientale que sont les salles hypostyles des Achéménides (*apadana*), des Hittites, des Mèdes et des Ourartéens.

faïence polychrome pour ses *mihrab*. En effet, dès les XIe–XIIe siècles, la cité de Kashan – qui conserva longtemps le secret de fabrication de ces céramiques – exporta au loin sa production.

Parmi ces éléments décoratifs d'origine persane, on mentionnera aussi les briques à surface lustrée : outre leur teinte bleue ou noire, elles présentent un effet d'iridescence métallique, obtenu à l'aide d'oxydes gazeux développés dans le four lors de la vitrification. De tels décors de *kashi* (briques de Kashan) octogonaux ou en étoile, destinées à des palais ou à des pavillons de plaisance, pouvaient comporter des personnages, ou des animaux, attestant par là-même que l'interdit de l'image d'êtres vivants, en usage dans l'Islam, ne s'appliquait qu'aux lieux de prière.

On trouve des faïences polychromes dans la Büyük Karatay Medrese de Konya, dont la coupole, qu'éclaire un *oculus* dominant un bassin à ablutions, repose sur des triangles turcs entièrement revêtus de céramiques noires et bleues. Signalons, à propos du terme «triangle turc», qu'il s'agit d'une formule originale, propre aux Seldjoukides de Roum, pour résoudre le difficile problème posé, aux angles d'un

À gauche

Un savant appareil polychrome
Détail de l'arc surmontant la porte de la Mosquée Ala ed-Din, à Konya, avec ses claveaux où alternent les blocs sombres et clairs, et dont la disposition imite des arcs entrelacés. Le même jeu de couleur se retrouve sur la plate-bande surmontant la porte. Un encadrement à moulure ornée de *mukarna* précède un linteau qui porte une belle inscription turque.

Un décor de citations
L'ornementation architecturale seldjoukide adapte les modèles antiques au langage nouveau : ici, le chapiteau dérive du style corinthien, alors que la colonne à modénature en zigzag évoque la formule torse ou salomonique.

De l'usage du remploi
La façade de la Mosquée Ala ed-Din de Konya, datant de 1220, avec son grand portail à encadrement couvert de motifs géométriques bicolores, est flanqué, à gauche et à droite, par une série de baies, formant une frise ornementale réalisée à partir de blocs byzantins réutilisés.

Stalactites en façade
Le portail de la Büyük Karatay Medrese, à Konya, de 1251, reprend presque textuellement l'arc à voussures entrelacées de la Mosquée Ala ed-Din, mais remplace le tympan bicolore par un beau motif de stalactites à faible relief.

Le rôle de la mosaïque de faïence
La Büyük Karatay Medrese, à Konya, offre un espace interne surmonté d'une coupole à *oculus* dont l'*intrados* est entièrement recouvert de céramique à motifs étoilés. Aux angles, également revêtus de faïence polychrome, des triangles turcs assurent le passage du plan carré à la base circulaire du dôme.

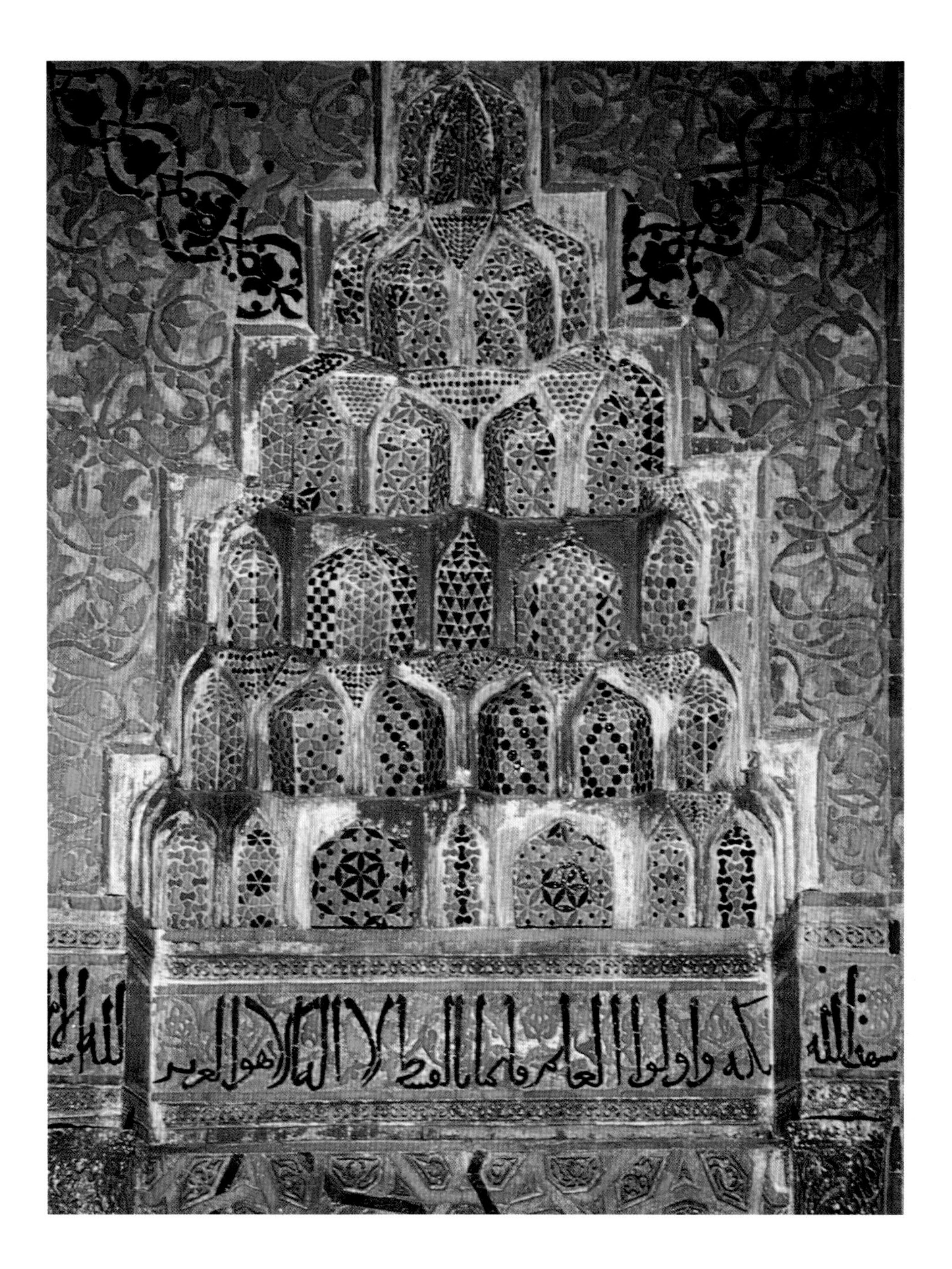

Un *mihrab* en céramique polychrome
À Ankara, la mosquée seldjoukide d'Arslan Hane, attribuée à l'émir Cheref ed-Din, comporte un beau *mihrab* à stalactites rehaussées de briques émaillées bleues, datant de 1289. Ici, l'articulation des *mukarna* revêt un rigoureux géométrisme.

édifice à coupole, par le passage du plan carré au cercle formant la base du dôme: au lieu d'user des formules classiques – depuis l'époque romaine – que sont la trompe d'angle (en cul-de-four), ou le pendentif (fondé sur le triangle sphérique), les Turcs de l'époque médiévale ont conçu une surface triangulaire, dont les côtés sont rectilignes. Le triangle turc opère la jonction d'un plan orthogonal à un plan circulaire selon un mode stéréométrique satisfaisant.

On ajoutera que le recours à un *oculus* pour éclairer l'espace de la *madrasa* dérive directement des formules en usage dans les édifices thermaux des Romains, dont certains exemples devaient subsister à Konya, parmi les vestiges de l'antique Iconium. On mentionnera aussi une intéressante utilisation de la brique vernissée avec le minaret (à demi effondré) de l'Indje (ou Ince) Minare Medrese de Konya, datant de 1265. À droite de l'admirable portail sculpté de cette *madrasa* à coupole, le minaret – jadis très élevé – ne comporte plus que deux étages, le troisième ayant été abattu par un séisme au début de ce siècle. Le premier niveau, carré, en pierre, est surmonté d'un corps cylindrique en brique. Ce cylindre, pourvu de tores recouverts de faïence verte, offre des faces qui sont piquetées de motifs verts et noirs, formant des losanges, dont la graphie stylisée évoque le nom d'Allah.

La symétrie dans l'asymétrie
Le plan de l'Indje Minare Medrese, à Konya, montre, derrière un vestibule d'entrée, une salle principale carrée, couverte d'une coupole sur triangles turcs, comportant un *oculus* comme à la Büyük Karatay Medrese. Un grand *iwân* axial est flanqué de deux plus petites salles à coupoles, qui introduisent la formule du plissé.

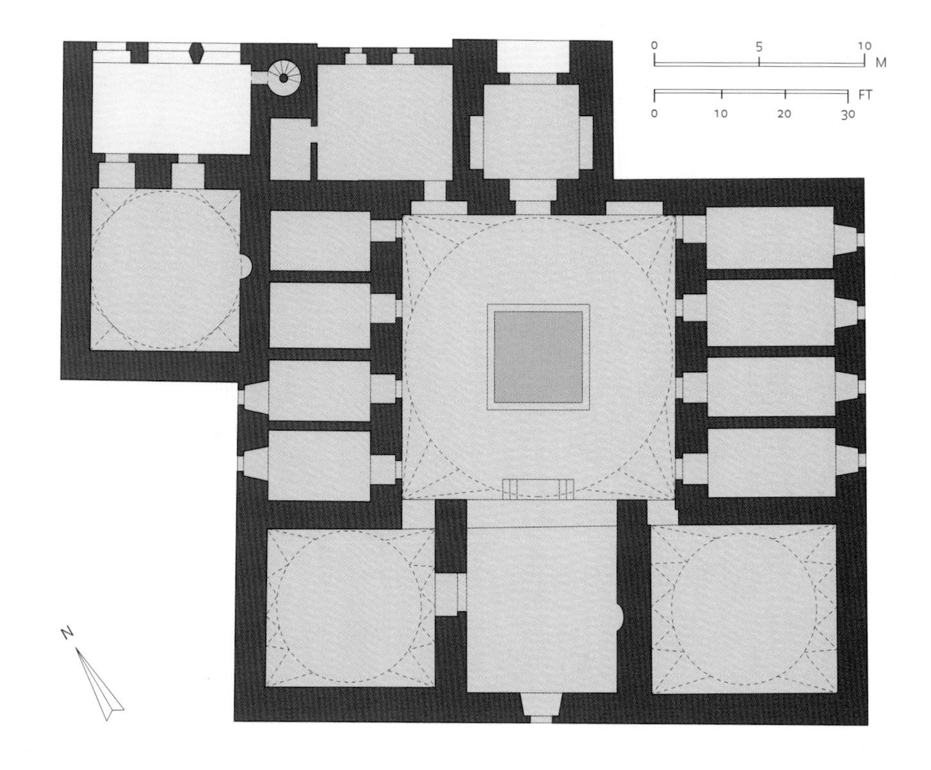

Une *madrasa* somptueuse
La façade de l'Indje Minare Medrese, à Konya, datant de 1265, offre un superbe portail (*pishtak*) à décoration luxuriante, où se mêlent les bandeaux épigraphiques et les motifs tantôt floraux, tantôt géométriques. À droite, le minaret «élancé» – à base en maçonnerie carrée et fût cylindrique de brique émaillée – qui a perdu une troisième section lors d'un séisme au début de ce siècle – est le témoin d'une originale association de la pierre sculptée et de la faïence polychrome.

Une remarquable imagination
À gauche, le motif végétal qui tapisse un angle de l'Indje Minare Medrese de Konya s'oppose aux entrelacs géométriques du même monument, à droite. Les sculpteurs seldjoukides semblent se jouer des contrastes stylistiques.

Juxtaposition des éléments du décor
Cet autre détail du portail de l'Indje Minare Medrese de Konya (1265) offre, sur l'angle, un nœud ajouré qui voisine avec un bandeau floral et une baguette qui précède une inscription monumentale. Tout l'éclectisme de l'art seldjoukide transparaît dans ces rapprochements inattendus.

Le portail de l'Indje Minare Medrese constitue l'une des plus audacieuses tentatives jamais entreprises pour marier le texte sacré du Coran à des formules ornementales juxtaposant bordures, entrelacs et motifs floraux. Ce répertoire s'inscrit dans une composition presque baroque, où les bandeaux inscrits qui enserrent la porte se croisent à la manière de rubans, puis s'élèvent jusqu'au sommet de l'encadrement avant de retomber sur ses côtés. Ici, l'ecriture prend un caractère orné d'une élégance exceptionelle.

Extraordinaire expérience plastique d'un artiste qui réinterprète à sa manière la formule du *pishtak*, ou grand portail à façade rectangulaire, d'origine persane. Il introduit ici, avec une prodigieuse liberté, un élément architectural propre à la Perse pour le modifier radicalement: la formule originairement traitée en céramique se mue alors en pierre de taille et le décor transpose la polychromie en un jeu plastique recourant aux contrastes d'ombre et de lumière. Le résultat constitue un chef-d'œuvre sans analogue.

L'autorité d'un style original
Cette contre-plongée sur le portail de l'Indje Minare Medrese de Konya révèle la prolixité du vocabulaire turc au XIIIe siècle. De même que le décor oppose le végétal au géométrique, les bandes florales aux textes des inscriptions, il joue aussi des contrastes entre les parties planes, mais fouillées, et les volumes saillants et dépouillés.

Aspects et fonction de la *madrasa*

Il a été question précédemment de certaines *madrasa* seldjoukides. À ce propos, il faut préciser que les écoles coraniques font partie, chez les Turcs, d'une stratégie de reconquête de l'orthodoxie sunnite, battue en brèche par les Fatimides, d'obédience chiite. La *madrasa* est, sur le front de la doctrine islamique, l'équivalent des *ghâzi,* ces soldats de la foi qui se portent volontaires pour combattre sur les frontières, partout où subsistent des affrontements avec les chrétiens.

La floraison des *madrasa* à l'époque seldjoukide relève de cet esprit de lutte, de cette volonté de maintenir vive la religion dans sa pureté initiale. C'est pourquoi chaque ville anatolienne – il en va de même dans la Perse des Grands Seldjoukides et dans les territoires qu'ils détiennent – est dotée d'une ou de plusieurs de ces institutions qui sont conçues pour l'étude du Coran. C'est là que les maîtres dispensent à leurs élèves leur enseignement magistral. Les études théologiques incluent les questions juridiques, puisque le Coran est à la fois la directive dogmatique et la règle de vie quotidienne. Il est la Loi que dispensent les *oulema,* ou docteurs, les *cadi,* ou juges et les *mufti,* ou jurisconsultes. L'enseignement officiel se divise en écoles de pensée, dont les principales sont au nombre de quatre: celles des hanifites, des hanbalites, des chafiites et des malékites.

À l'époque des Seldjoukides de Roum, la *madrasa* connaît un remarquable développement. Comme l'étendard du Prophète, elle affirme la foi musulmane, et rien, dans son architecture, n'est trop beau pour exalter l'Islam. C'est pourquoi les bâtisseurs recourent à de grands programmes qui conjuguent une série de fonctions complémentaires.

Ainsi, la Cifte Minare Medrese d'Erzurum, datant de 1253, qui dresse sa puissante structure à cour bordée de portiques, surmontée de deux hauts minarets de brique

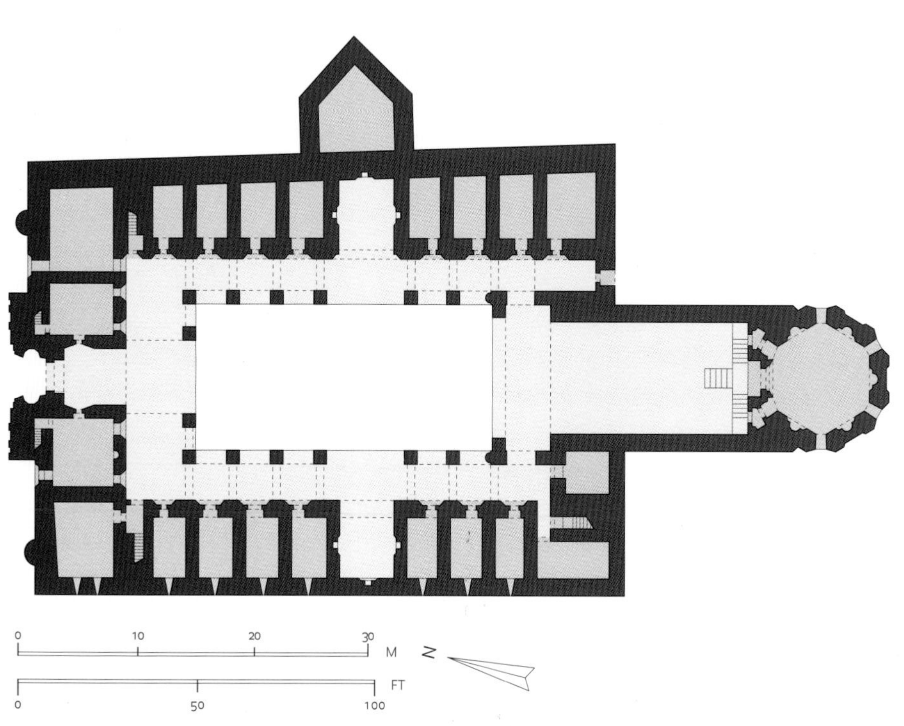

En haut et page 39

Une altière façade de *madrasa*

La Cifte Minare Medrese dresse sa façade symétrique que surmontent deux beaux minarets à côtes, en brique émaillée, qui donnent son nom à l'édifice construit en 1253. Les séismes ont ébranlé leur structure.

Un édifice à cour bordée de portiques

Le plan de la Cifte Minare Medrese d'Erzurum offre une belle combinaison entre un bâtiment à cour, comportant quatre *iwân* axiaux à la manière persane, et un grand mausolée dodécagonal (*türbé*) à l'extrémité de l'*iwân* principal.

Un lacis décoratif ciselé
De part et d'autre du portail qui donne accès à la Cifte Minare Medrese d'Erzurum, des niches à stalactites comportent une série de motifs en réseaux qui sont sculptés en champlevé. Les colonnes et leurs chapiteaux disparaissent presque sous l'abondance du décor floral.

Richesse et sobriété
Le portique sur cour de la Cifte Minare Medrese d'Erzurum fait sans cesse varier le décor : à une colonne couverte de motifs entrelacés succède un fût lisse qui précède lui-même un support octogonal dont les faces ornementales sont couvertes de reliefs répétitifs.

La cour bordée de portiques
Derrière un grand arc brisé en tiers point, la cour de la Cifte Minare Medrese d'Erzurum s'ouvre sur les deux niveaux du portique que bornent les deux minarets de brique encadrant l'entrée.

Arcades sur deux étages
Le jeu subtil de supports et d'arcs brisés qui ceint la cour est rythmé par les grands *iwân* axiaux, caractéristiques de la belle Cifte Minare Medrese d'Erzurum. Au niveau inférieur, des tirants assurent le raidissement des arcades.

Vocabulaire décoratif
Les tombeaux ou *türbé* seldjoukides se prêtent à un déploiement de motifs ornementaux. Celui dit Hatuniyé Türbési, à Erzurum, datant de 1255, fait voisiner, sous la couverture conique, plusieurs types de frises avec des arcs cordés surmontant les faces de l'octogone.

Un *türbé* monumental
L'Hatuniyé Türbési d'Erzurum fut érigé par la fille du sultan Keykobad Ier Ala ed-Din qui mourut en 1237 à Kayseri. Cet édifice qui s'inspire des tombeaux à tour persans transpose ce modèle, réalisé en brique, dans la pierre de taille qui habille une ossature de maçonnerie.

Dressé comme un phare sur Antalya
Dans le sud de l'Anatolie, la ville côtière d'Antalya a érigé, près d'une église byzantine transformée en mosquée, un superbe minaret de brique: le Yivli Minare. Œuvre de Keykobad Ier qui date de 1230, il offre, sur une base carrée, puis octogonale, un fût fasciculé d'un bel effet plastique.

émaillée et d'un *türbé,* ou tombeau à toiture conique, forme, en bordure de la cité caravanière de l'Anatolie orientale, à 1800 m d'altitude dans les solitudes semi-désertiques, une réalisation exemplaire: 75 m de longueur pour 43 m de largeur, avec une cour centrale de 25 m par 12 m flanquée de quatre *iwân,* qui se répondent deux à deux, à l'instar des mosquées et *madrasa* persanes.

Derrière un beau portail de pierre en forme de *pishtak*, avec sa niche à stalactites ciselées en nids d'abeilles que dominent deux hauts minarets de brique, s'ouvre la cour que bordent deux niveaux de portiques à arcades supportées par des colonnes. Au milieu de chaque façade sur cour, les *iwân* se signalent par une haute baie dont l'arc brisé englobe les deux étages. Partout, le décor sculpté dans le trachyte sombre anime, de motifs géométriques ou floraux, les surfaces des colonnes rondes et octogonales.

Au chevet de l'ensemble, le puissant mausolée, dit Hatuniyé Türbé, dresse la masse dodécagonale de sa salle funéraire surmontée d'une haute toiture conique. De magnifiques bandeaux sculptés de motifs cordés ou entrelacés en ornent le couronnement.

Cette association entre *madrasa* et *türbé* est fréquente: elle apparaît à Kayseri dans l'ensemble de Huand Hatun datant de 1237, comme dans la Köshk Medrese de 1339. Elle conduit à la création de complexes qui allient une structure orthogonale, propre aux mosquées et aux *madrasa,* avec les éléments cylindriques et coniques du tombeau.

Parmi les monuments de Sivas – important centre d'art seldjoukide – on a déjà mentionné la Chifahiyé, ou hôpital de Keykavus, datant de 1217, avec son *iwân* rehaussé de motifs émaillés. Cet édifice à cour, bordé de portiques se mirant dans

la pièce d'eau centrale, constitue un prototype du plan qui sera celui des grandes *madrasa* seldjoukides. En effet, avec l'afflux des élèves, la formule en usage dans les bâtiments de Konya, dont la salle d'enseignement est couverte d'une coupole (Indje Minare et Karatay Medrese), doit faire place à une solution qui permette d'accueillir un nombre plus grand de postulants. C'est le plan persan de la mosquée à cour, généralement à quatre *iwân*, qui s'imposera progressivement.

Mais le fait qu'un hôpital, qu'une *khanka*, ou monastère de derviches (moines mendiants), qu'une *nizamiya*, ou collège d'études théologiques et scientifiques, qu'une *madrasa* relèvent tous d'un plan analogue, avec sa cour centrale et ses *iwân*, marque le caractère religieux et social des fondations pieuses auxquelles les sultans attachent leur nom. La création de réfectoires pour les pauvres, de dispensaires, d'asiles ou d'écoles compte, chez les Turcs seldjoukides et ottomans, parmi les réalisations qui attestent de la dévotion et du respect des préceptes de charité que prescrit le Coran.

Les souverains ont multiplié les occasions de démontrer leur générosité à travers ce type de créations destinées au peuple. Des inscriptions commémorent ces donations inaliénables qui possèdent une charte de fondation destinée à en assurer l'entretien «perpétuel».

Le langage esthétique

Les monuments de Sivas illustrent cette évolution de la *madrasa* vers une monumentalité et une richesse de plus en plus marquées. On en a vu un exemple éminent avec la Cifte Minare Medrese d'Erzurum. Pour sa part, la Cifte Minare Medrese («Madrasa à deux Minarets») de Sivas, datant de 1271, et dont il ne subsiste guère que le superbe portail, s'affirme par la luxuriance de son décor. Mais elle montre en outre la combinaison réussie d'une grande porte axiale avec les deux minarets qui la flanquent, comme à Erzurum. L'association de la pierre de taille – calcaires et marbres – avec la brique polychrome des minarets à galerie supérieure en encorbellement découle – comme dans les édifices de Konya – de nécessités statiques.

Le tombeau d'un grand sultan
Dans la ville de Sivas, le sultan Keykavus Ier (1211–1220) fit ériger en 1217 un hôpital (*maristan*). L'édifice fut ensuite transformé en *madrasa*: la Chifahiyé Medresesi. Le souverain y possède son *türbé*, édifié derrière un *iwân* (ci-dessus). Une inscription de faïence bleue en signale la présence (en haut).

À droite
Une façade altière
Surmontée de ses deux minarets de brique, pourvus de galeries à encorbellement que supportent des rangées de *mukarna*, la Gök Medrese (ou Madrasa Bleue) de Sivas, présente une façade symétrique dans laquelle s'ouvre un superbe portail de pierre à niche tapissée de stalactites.

À gauche
La sculpture efflorescente de Sivas
Le style exceptionnellement riche des monuments seldjoukides de Sivas, où voisinent les motifs les plus divers, apparaît dans la Gök Medrese, construite en 1271.

Il n'en demeure pas moins qu'on voit là une création organique d'une grande vigueur architecturale, qui confère à la *madrasa* son caractère emblématique et impressionnant. Certes, le prototype de cette combinaison remonte à la Perse seldjoukide. Mais son traitement à Sivas, avec la combinaison du portail en forme de *pishtak* et la paire de minarets qui se dressent de part et d'autre, est une grande réussite.

La Gök Medrese (ou Madrasa Bleue) de Sivas, également de 1271, qui reprend le même programme, permet d'étudier l'ornementation des portails seldjoukides anatoliens. Au milieu de l'encadrement formé de bordures successives, finement ciselées d'entrelacs et de motifs floraux, ainsi que de «frises» de *mukarna,* la porte proprement dite s'ouvre dans un renfoncement dont la voûte est tapissée de stalactites. L'arc brisé, à profil épaulé, qui enserre cette sorte d'*iwân* est soutenu par de fines colonnettes appareillées et engagées, dont les chapiteaux dérivent du style corinthien.

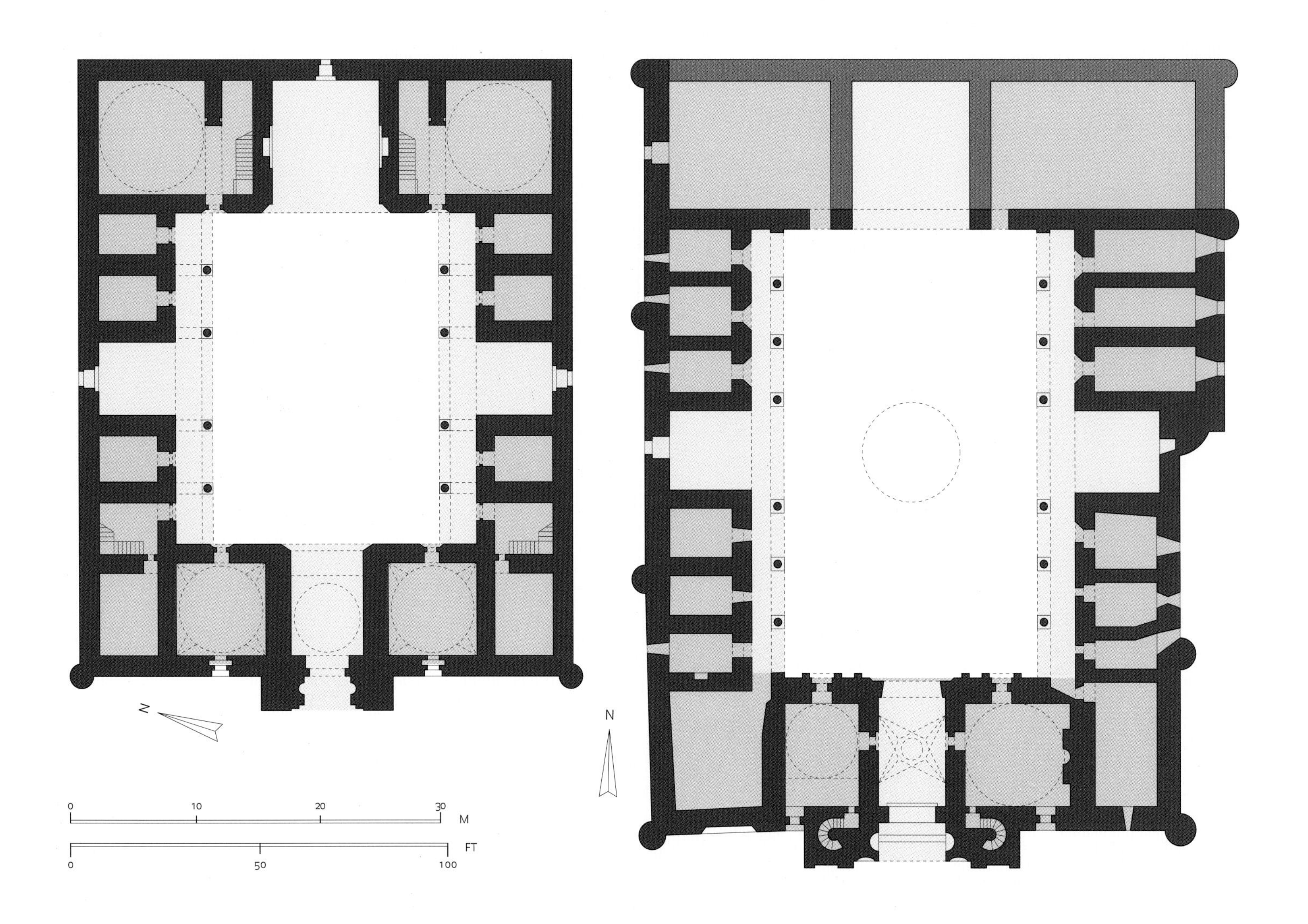

Des *madrasa* à quatre *iwân*
Les plans qui présentent respectivement la Muzaffar Bürüciyé Medresesi (à gauche) et la Gök Medrese (à droite) de Sivas se caractérisent par un parti d'origine persane : il s'agit d'édifices à cour que régissent quatre *iwân* se répondant deux à deux sur les axes du bâtiment.

Arcades sur cour
L'*iwân* latéral, dans la Muzaffar Bürüciyé Medresesi, à Sivas, datant de 1271, ne se signale au regard que par la largeur de l'arc brisé qui précède le renfoncement sur l'axe de symétrie.

Un certain «baroquisme» du décor
L'encadrement de l'entrée, à la Muzaffar Bürüciyé Medresesi de Sivas, offre, sous un superbe bandeau épigraphique de calcaire ciselé, une surface à motifs floraux dans laquelle s'ouvre la niche à stalactites. En relief, quatre curieux motifs font saillie pour animer la décoration à l'aide d'éléments végétaux dont la sculpture reflète une grande finesse.

Un portail en forme de *pishtak*
La vue d'ensemble du portail de la Muzaffar Bürüciyé Medresesi de Sivas permet d'étudier le système d'encadrement, avec son ornementation qui résume le décor des édifices seldjoukides d'Anatolie. Au centre, sous un arc surbaissé à claveaux alternés s'ouvre la porte donnant accès à la cour centrale.

Un subtil répertoire sculpté
Ces trois détails du portail de la Cifte Minare Medrese, construite en 1271 à Sivas, montrent la finesse des éléments en relief ajouré (ci-dessus), la prolixité des motifs entrelacés et floraux (en haut à droite) et la juxtaposition des encadrements, ainsi que les ultimes avatars du chapiteau corinthien (à droite en bas).

Page 48
Un fourmillement décoratif
Comme la plupart des édifices de la ville, la Cifte Minare Medrese de Sivas est l'œuvre d'un gouverneur mongol représentant la dynastie des Ilkhanides. La présence des Mongols n'a guère troublé l'évolution du style seldjoukide de Roum à la fin du XIIIe siècle. Ici, sous les deux minarets de brique à glaçure polychrome, l'encadrement du portail est souligné par une vigoureuse baguette de *mukarna*.

Faisant saillie, au sommet de l'encadrement, trois curieux éléments décoratifs, presque baroques, posent des accents floraux qui – comme à la grande mosquée de Divrigi – semblent être la transcription dans la pierre de modèles issus de décors en faïence polychrome.On retrouve d'ailleurs de bons exemples de ces éléments saillants qui parsèment l'encadrement du portail dans la Muzaffar Bürüciyé Medresesi de Sivas. Cette *madrasa* fut également fondée en 1271 – qui est décidément une période faste pour l'architecture de cette vieille cité – durant la période contemporaine de la dynastie mongole des Ilkhan.

De part et d'autre du grand *iwân* axial, de légères arcades sur colonnes déploient leurs portiques, derrière lesquels s'ouvrent les cellules des maîtres et élèves. Sur l'axe de symétrie, un arc plus large marque la présence des *iwân* latéraux, où était dispensé l'enseignement.

La richesse foisonnante de l'ornementation seldjoukide, par opposition à la nudité des murs dans lesquels elle s'inscrit, révèle une constante de l'art anatolien: le décor ne couvre pas tout l'édifice. Il se borne à rehausser certaines zones particulièrement importantes – porte, *iwân*, colonnes, etc. – qu'il met ainsi en valeur en recourant à un vocabulaire décoratif d'une grande diversité.

Finesse de la décoration sculptée
Avec le Döner Kümbet de Kayseri, datant de 1276, on retrouve, comme à l'Hatuniyé Türbési à Erzurum, la formule de l'édifice funéraire délicatement recouvert d'un réseau de stalactites et de motifs floraux.

Un *türbé* dodécagonal
Le Döner Kümbet de Kayseri, dédié à la princesse Shah Djihan Hatun, se dresse sur une base carrée dont les angles abattus forment la liaison avec la base dodécagonale du mausolée que couronne une toiture conique.

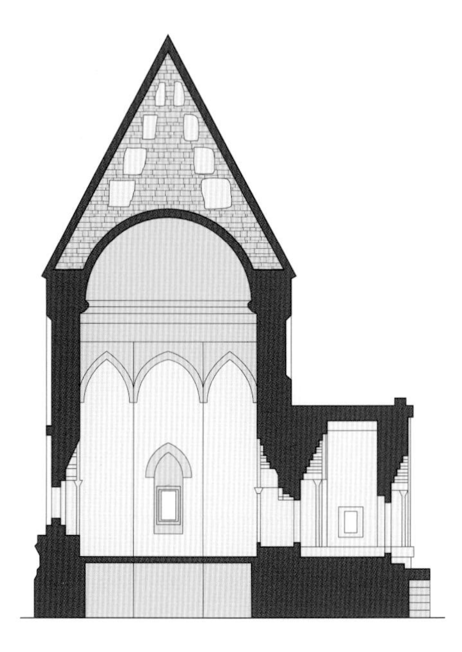

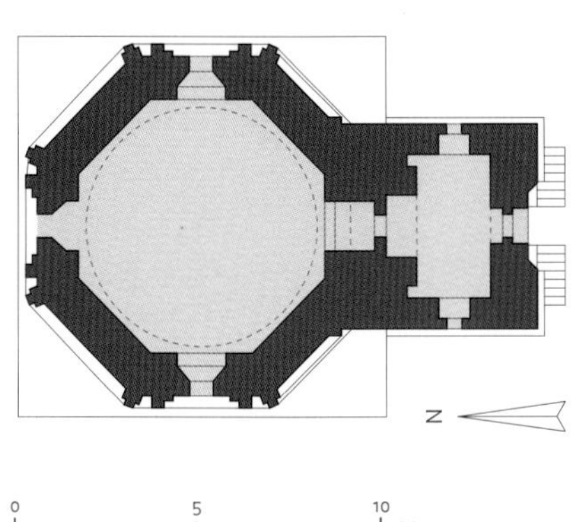

Adjonction d'une entrée
Coupe et plan du *türbé* dit d'Ali Djafer, à Kayseri. Il s'agit d'une œuvre tardive datant du milieu du XIVe siècle qui présente un tracé octogonal, avec coupole hémisphérique sous la toiture, et vestibule précédant la salle funéraire.

Un mausolée de Karaman
Au pied de la chaîne du Taurus, la cité de Karaman fut la capitale d'un émirat des XIIIe–XIVe siècles. Dans cette oasis s'élève le *türbé* de Karamanoglu Ala ed-Din Bey aux lignes très dépouillées.

Les mausolées ou *türbé*

On a fait allusion à plusieurs reprises aux *türbé,* ces mausolées turcs à corps cylindrique ou polygonal, dotés d'une couverture conique. Les édifices funéraires revêtent en effet en Anatolie cette forme géométrique très pure qu'ont adoptée les Seldjoukides. L'origine des mausolées islamiques se trouve à Samarra, dans l'Irak d'aujourd'hui, où est érigé, en 862 le tombeau du calife al-Mustanzir. L'usage d'un bâtiment commémoratif signalant la tombe d'un personnage important ne tarde pas à se répandre en Perse, où il accompagne l'essor du chiisme, avec la vénération de la tombe des *imam* et de leurs descendants directs, les *imamzadeh*, considérés comme seuls héritiers légitimes du Prophète.

Au nord de la Perse, la dynastie des Ziyarides donne l'un des premiers tombeaux monumentaux en forme de tour: le mausolée de Gunbadh-i Kabus, à Gorgan, non loin de la Caspienne, construit en 1006. Son plan en polygone étoilé, présente un

Les derniers ouvrages des Karamanides
Le Türbé de Hudavend Hatun, à Nigdé, est une création originale datant de 1312 qui fut érigée par la fille du sultan Rukkedin Kilij Arslan IV: sa base évasée, soutenue par des stalactites, supporte un corps octogonal. De curieuses avancées d'angles à *mukarna* jouent le rôle de trompes externes.

haut corps à arêtes saillantes, surmonté d'une couverture conique. C'est à partir d'un tel modèle que se constitue le *türbé* turc, qui transpose la réalisation en brique de la Perse en édifice érigé en pierre de taille.

La recherche d'une grande sobriété formelle, fondée sur des volumes géométriques simples, qui font du mausolée un véritable «signal», éclate dans le Döner Kümbet (1276) et le Türbé d'Ali Djafer, tous deux à Kayseri. Datant de l'émirat des Karamanides, les Türbé de Karaman, de Hudavend Hatun, à Nigdé (1312) et de Halime Hatun, à Gevash (1358), illustrent cette recherche de dépouillement plastique, qui n'exclut d'ailleurs nullement une profusion décorative remarquable. Le décor de frises, de bandeaux d'inscriptions, parfois de colonnettes engagées, de rosaces et de stalactites reprend le répertoire traditionnel de l'époque seldjoukide.

En conclusion de ce bref survol, on doit constater qu'il n'est pas possible d'aborder le patrimoine bâti des Seldjoukides de Roum sans tenir compte, d'une part, de l'héritage arabe, en tant que fondateur des formes et des espaces islamiques, et de l'autre, des acquis des Grands Seldjoukides de Perse, avec lesquels les bâtisseurs d'Anatolie n'ont cessé d'avoir des contacts.

Une solution inusitée
Détail du mausolée de Nigdé, avec ses avancées sur stalactites d'angles qui supportent une ornementation où alternent thèmes géométriques et végétaux.

Carrefour d'influences
Surmontant une fenêtre à claire-voie de l'Hudavend Hatun Türbési, à Nigdé, deux oiseaux en relief évoquent l'art des Arméniens, et en particulier le décor de la belle église d'Aghtamar, sur le lac de Van.

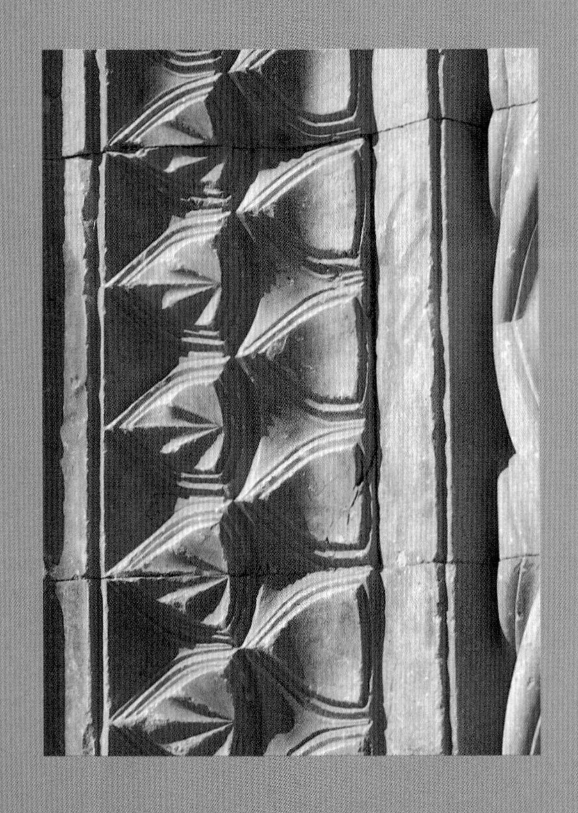

La route des caravanes

Étapes et relais de l'Anatolie

Page 55
Décor d'un caravansérail
Malgré leur caractère utilitaire, les caravansérails seldjoukides d'Anatolie présentent souvent de somptueux portails décorés de motifs géométriques. Ici, des stalactites encadrent vigoureusement l'entrée du Sultan Han d'Aksaray.

Dans l'Anatolie centrale, tenue par les Seldjoukides de Roum, mais que parcourent épisodiquement – à la fin du XIe et durant les XIIe et XIIIe siècles – les troupes byzantines, les Croisés et les hordes des Mongols, le problème le plus lancinant reste la sécurité. Celle des villes est assurée par de puissantes murailles, qui protègent hommes et biens. Quant à la sécurité du commerce et des voyageurs, sur les routes des hauts plateaux reliant la Perse à l'Égée et la mer Noire à la Méditerranée, elle se fonde sur une chaîne continue de caravansérails fortifiés.

Héritiers des techniques de la poliorcétique romano-byzantine, les Turcs ont restauré et perfectionné les enceintes urbaines qu'ils ont trouvées à leur arrivée en Asie Mineure. Le meilleur exemple n'est autre que la cité de Kayseri, l'antique Césarée, en Cappadoce. Importante place commerciale d'Anatolie centrale, la ville reçut une nouvelle muraille, ainsi qu'une citadelle au centre de l'agglomération, élevée sur le tracé de celle de Justinien, avec 19 tours de basalte sombre. Ces tours carrées qui font saillie entre les courtines semblent former, aujourd'hui encore, une position imprenable.

Les textes évoquent aussi l'enceinte circulaire de Konya – l'antique Iconium, dont Hadrien avait fait une *colonia*. La ville qui devint la capitale des Seldjoukides en 1097, fut dotée en 1221 par Keykobad Ier (1221–1237) d'une muraille jalonnée de 144 tours, dont il ne reste plus trace aujourd'hui. En revanche, d'autres cités fortes, comme Diyarbakir sur le cours du haut Tigre, présentent d'imposantes fortifications, où se mêlent les réalisations byzantines et seldjoukides.

Sur les pistes des caravanes

On a mentionné précédemment l'importance qu'attachaient les sultans au grand négoce international, et le rôle qu'ils conférèrent aux routes transanatoliennes permettant aux denrées de l'Orient de passer de la mer Noire à la Méditerranée par voie de terre, sans avoir à emprunter les Détroits en mains byzantines. La réalisation des routes, destinées aux caravanes de chameaux de la steppe – plus résistants au froid que les dromadaires d'Arabie et d'Afrique du Nord – requit toute l'attention des souverains seldjoukides. Il s'agissait, en réalité, pour l'essentiel, de revitaliser des voies impériales romaines, de relever les ouvrages d'art ruinés et de jalonner les étapes quotidiennes au moyen de gîtes sûrs.

Les sultans réalisèrent un vaste programme de construction de ponts, dont certains sont encore intacts. Ainsi celui construit sur le cours du Köprü Cay (l'ancien Eurymédon) près d'Aspendos se dresse fièrement, avec ses quatre grandes arches en arcs brisés et son profil ascendant vers le centre de l'ouvrage.

Quant aux routes des caravanes, il s'agit plutôt de pistes, car, étant destinées aux chameaux plutôt qu'aux charrois, elles ne nécessitaient que par endroits un revêtement stabilisé. Leur tracé comportait deux axes principaux : la voie Est-Ouest reliant la frontière persane à l'Égée, et celle Nord-Sud qui, de Samsun, rejoint Kayseri. De là, elle adopte la grande transversale unissant Kayseri à Konya puis Beychéhir à Egridir, avant de descendre sur Antalya à travers le Taurus.

Tour d'angle d'un relais fortifié
Avec ses lits alternés de blocs clairs et sombres (technique *ablak*), l'appareil de l'enceinte du caravansérail de Sadeddin Han, en pleine région de steppe anatolienne, est un bon exemple de l'architecture à caractère défensif qui est typique des gîtes routiers seldjoukides. Cet édifice fut construit en 1236.

L'art militaire
Héritière des forteresses romaines et byzantines de Césarée, la citadelle de Kayseri que construisit, vers 1224, le sultan Keykavus est l'un des complexes militaires seldjoukides les mieux conservés d'Anatolie.

L'équipement routier
Franchissant le cours du Köprü Cay (l'ancien Eurymédon, en Pamphylie), ce pont seldjoukide aux arches élégantes, légèrement brisées, atteste l'intérêt porté par les sultans aux voies de communications commerciales et militaires que jalonnent des caravansérails fortifiés.

Page 59
Une muraille impressionnante
Au pied du volcan Erciyes Dagi qui domine la ville de Kayseri, l'enceinte urbaine, fondée sur le tracé de celle de Justinien, est entièrement édifiée en basalte sombre. Ce matériau confère à l'ouvrage – avec ses tours carrées et crénelées, précédées d'une escarpe avancée – un aspect sévère et puissant.

Rôle d'apparat
Le caravansérail de Sadeddin Han, perdu dans la steppe anatolienne, comporte un portail disposé latéralement – sur le côté long de l'édifice. Celui-ci, avec son bel appareil aux assises alternées, claires et foncées, affirme l'aspect fastueux que revêt la chaîne des caravansérails: la prospérité des sultans seldjoukides repose sur le commerce international.

Ce réseau qui se double d'autres variantes – par exemple, une liaison Aksaray-Nigdé-Adana, ou une autre entre Beychéhir et Alanya, totalise une centaine de caravansérails, dont certains se dressent encore presque intacts, alors que d'autres sont ruinés de fond en comble.

Le marché de la soie et la traite des esclaves

C'est par ces voies commerciales et militaires (en temps de guerre, les caravansérails se muaient en dépôts d'armes et en cantonnements de garnisons), que les Seldjoukides faisaient transiter une part importante du commerce international en provenance de Chine et de l'Asie centrale qui avait suivi la voie septentrionale par les oasis du Tourfan et le bassin du Tarim, puis par la vallée du Fergana, les steppes des Turkmènes et la Caspienne, avant d'aboutir sur la mer Noire.

Cette «route de la soie» recevait, du Sud, par les passes de Kandahar et du Khayber, les produits de l'Inde, des îles et de l'Indochine (épices, ivoire, tissus). Une variante passait par Balkh et Boukhara. Mais elle était également tributaire des produits venant du Nord, et en particulier des fourrures de Sibérie, utilisées dans les rituels de cour.

Une grande part du commerce avait pourtant trait au trafic des esclaves provenant de Khirgizie et du Kazakhstan, entre lac Balkhach et Syr-Daria, ou des plaines du Kiptchak entre les bassins de la Volga et du Danube. Ce sont ces peuples (souvent d'origine turque, d'ailleurs) qui fournissent les contingents d'esclaves-soldats que livrent les Seldjoukides à leurs riches clients méridionaux. Ces guerriers redoutables seront en effet chargés, en particulier, de la garde des califes de Bagdad et des Ayyubides de Damas.

Ces esclaves, dont sortiront les dynasties des Mamelouks du Caire ainsi que celles des sultans de Delhi, sont l'un des piliers du pouvoir de plusieurs régimes musulmans. Ils jouent un rôle capital sur l'échiquier des affrontements qui secouent l'aire orientale. Il en résulte une demande sans cesse accrue de ces hommes qui se vendent à prix d'or. Or les pourvoyeurs de «mamelouks» sont essentiellement les Seldjoukides de Roum qui font transiter par la route transanatolienne les contingents acquis ou faits prisonniers dans la steppe asiatique.

Arrivés à destination, ces jeunes captifs seront initiés au métier des armes. Ils feront leur apprentissage dans des «maisons» d'où ils sortent avec le titre redouté d'esclaves-soldats, véritables professionnels de la guerre dans tout le Proche et Moyen-Orient. Ils deviennent ainsi l'élite des armées islamiques, au point qu'ils

Forteresse du négoce au long cours
Vaste rectangle ceint de murailles jalonnées de tours tantôt rondes, tantôt carrées, voire octogonales aux angles, le caravansérail seldjoukide de Sadeddin Han, au nord de Konya, est une création de 1236 due à Keykobad Ier. Le soin apporté à son appareil en lits, où alternent des assises de hauteurs différentes, témoigne de l'importance accordée par les Seldjoukides à ces créations civiles.

Sculpture et modénature
Détail du décor sobre et raffiné du portail de Sadeddin Han : l'architecture seldjoukide est un art de tailleurs de pierre.

seront seuls capables, dans le seconde moitié du XIIIe siècle, de battre les hordes des Mongols et d'arrêter leur avance.

Ainsi l'Anatolie des Seldjoukides est devenue une plaque tournante du négoce international. Elle pèse de tout son poids sur le marché des troupes qui font et défont les royaumes et les empires. On comprend que ces voies terrestres, sources de profits si remarquables, soient l'objet de l'attention des sultans. Ceux-ci ont fait des caravansérails non seulement des relais fonctionnels, mais des œuvres d'art.

Des édifices impressionnants

L'aspect extérieur des caravansérails – tel qu'il subsiste dans les rares exemples qui restent encore isolés au sein des immensités semi-désertiques de l'Anatolie – est celui des forts que Rome avait édifiés sur le *limes*: l'édifice rectangulaire apparaît comme un corps massif, privé de toute ouverture hormis l'entrée monumentale, et ponctué de tours carrées, polygonales ou rondes qui font saillie aux angles ou qui entrecoupent des courtines.

C'est le cas pour le caravansérail de Sadeddin Han, datant de 1236, que l'on découvre en plein paysage steppique au nord-est de Konya. Tant les assises de ses tours d'angles que celles des deux portails – l'un extérieur, sur le côté de l'édifice, l'autre intérieur, au fond de la cour à portiques – font alterner les lits et les claveaux de pierre claire et grise. Sadeddin Han compense par cet élément de polychromie une certaine sobriété du décor de son entrée, privée de motifs sculptés et de stalactites.

L'édifice est intéressant aussi par la présence, dans son appareil, d'une quantité de vestiges romano-byzantins: stèles funéraires, sarcophages, frises, montants de fenêtres ou d'arcades incorporés dans les façades, sans souci esthétique, les blocs étant parfois disposés à l'envers par rapport au motif visible. Ces remplois doivent-ils être considérés comme une expression du triomphe turc sur le monde chrétien? C'est peu probable. Il semble plutôt que l'on ait affaire ici à la simple réutilisation d'éléments de construction disponibles à peu de frais. En outre, on constate, sur le nu du mur, toute une série de marques de tâcherons qui paraissent dériver d'un alphabet grec ou arménien.

Parmi la centaine de caravansérails répertoriés par Kurt Erdmann il y a une trentaine d'années, on trouve des plans très divers. Il s'agit, la plupart du temps,

L'usage du remploi
Dans l'appareil très soigné de Sadeddin Han, on découvre une série de remplois insérés dans les façades de l'édifice.
À gauche: les motifs byzantins d'une face de sarcophage avec ses entrelacs, ses arcs et sa croix pattée chrétienne.
À droite en haut: une stèle funéraire romaine représentant un couple sous un *arcosolium*.
À droite en bas: l'une des multiples marques de carriers qui identifient les blocs. Celles-ci dérivent de l'alphabet gréco-romain, et non des caractères arabes, attestant l'origine des artisans qui réalisèrent les caravansérails seldjoukides.

Un monument utilitaire grandiose
Vue générale du chevet du caravansérail de Sultan Han, près d'Aksaray, construit en 1229. C'est le mieux conservé des grands relais routiers seldjoukides. Sa muraille d'enceinte est jalonnée de tours de défense rondes ou octogonales. Au premier plan, la salle d'hiver, avec sa nef sur laquelle s'élève une tour-lanterne surmontée d'une toiture pyramidale. À droite de l'image, la partie saillante de la cour.

d'édifices à cour, derrière laquelle est disposé un espace couvert, qualifié de «salle d'hiver». En effet, les hauts plateaux anatoliens connaissent des hivers très froids et neigeux, qui exigent qu'hommes et bêtes puissent bénéficier d'abris.

Les dispositions, toutefois, sont variables: à l'enceinte que bordent intérieurement des chambres mitoyennes – selon un modèle fréquent en Perse – les Turcs d'Asie Mineure ont en général préféré, après une cour qui peut comporter des arcades latérales, une salle commune, formée de trois ou cinq nefs. Celle-ci présente alors un vaisseau central contrebuté par des bas-côtés. L'ensemble est réalisé en maçonnerie, dont les beaux parements appareillés forment des lits réguliers.

Dans les plus remarquables exemples (les bâtiments nommés «Sultan Han»), la couverture en berceaux brisés adopte l'arc en tiers-point qui est également utilisé pour les arcades sur cour et pour les collatéraux. La nef principale (dont la voûte peut atteindre 14 m de haut) compte sept travées et présente en son centre une tour-lanterne à coupole. Cette tour, qui est ronde à l'intérieur et octogonale à l'extérieur, comporte une couverture conique, culminant à plus de 20 m.

De part et d'autre, des vaisseaux latéraux, nettement plus bas (5 m), forment des espaces hypostyles. Ceux-ci, que jalonnent des piliers de section carrée, sont relativement obscurs. Avec sa haute nef à berceau scandé par des arcs doubleaux, ses arcades latérales ouvrant sur les bas-côtés voûtés et sa tour-lanterne centrale, l'architecture de ces «salles d'hiver» s'apparente à une église entièrement couverte de berceaux brisés, que dominerait une croisée de transept …

Sur l'axe longitudinal, les caravansérails du type «Sultan Han» – qui, comme signe de leur prospérité souveraine, sont aussi les plus fastueusement conçus – présentent en façade, occupant le front de la cour, un grand portail à encadrement richement ornementé, où la porte d'accès est disposée dans un renfoncement que domine une voûte à stalactites. Ce décor sculpté – réalisé dans un calcaire fin ou un marbre blond – relève du même style que les *pishtak* des mosquées et *madrasa*. On y retrouve l'essentiel du vocabulaire ornemental qui fait la parure des bâtiments religieux de style seldjoukide anatolien.

Somptueux portail d'apparat
L'entrée monumentale du Sultan Han, près d'Aksaray, avec son encadrement dans lequel s'inscrit la niche à stalactites. À droite, détail de l'ornementation sculptée du portail : la colonnette en zigzag, imitant les fûts salomoniques, est couronnée d'un chapiteau à palmettes dérivant de l'acanthe corinthienne.

L'espace prévu pour l'été anatolien
Les belles arcades en tiers-point qui bordent la cour du caravansérail de Sultan Han, près de Kayseri, revêtent la pure simplicité d'une architecture fonctionnelle que seule décore une frise de stalactites.

La prière n'est pas absente
Dans la cour du caravansérail d'Agzikara Han, construit en 1242 à l'est d'Aksaray, se dresse un édicule cubique : il s'agit d'une petite mosquée surélevée, disposée sur des arcs brisés. Au fond, le portail donnant accès à la salle d'hiver.

Sous les sept arcades de la cour, à gauche en entrant, voyageurs et bêtes jouissent, pendant les ardeurs de l'été, d'une ombre bienfaisante. En face, un autre portique abrite des appartements et un *hammam,* ou établissement de bain turc. L'espace ouvert que cernent ces portiques présente en son centre un édicule cubique qui repose sur quatre grands arcs. Il s'agit d'une petite mosquée, à laquelle on accède par un double escalier étroit et abrupt. Ce lieu de prière est mis à la disposition des fidèles de passage. L'édifice est ainsi placé sous le signe de la piété : il joue son rôle de création charitable, édifiée par le sultan pour accomplir les actes de bienfaisance que commande le Coran.

Au fond de la cour, un second portail, de même type que celui qui marque l'entrée, mais un peu plus petit, donne accès à la «salle d'hiver». Il est couvert de la même ornementation géométrique sculptée, avec ses encadrements successifs et parfois ses alternances de lits clairs et foncés. Comme pour les mosquées et *madrasa,* le répertoire formel du décor est abstrait : il se fonde sur des entrelacs, des réseaux, des motifs étoilés, des zigzag et des rosaces, ainsi que de colonnettes à chapiteaux floraux. La voûte surmontant la porte d'accès est, ici aussi, tapissée de somptueuses stalactites aux alvéoles d'une rigoureuse fermeté.

Ces caractères sont communs aux plus beaux caravansérails seldjoukides, parmi lesquels on citera : le Sultan Han édifié en 1232 sur la route qui, au nord de Kayseri, monte vers Sivas ; le Sultan Han sis à l'ouest d'Aksaray, datant de 1229, qui est peut-être le meilleur exemple, tant par son état de conservation et ses restaurations que par l'ampleur d'un plan cohérent et généreux ; le Sari Han, près d'Avanos, sur le cours du Kizil Irmak (l'ancien fleuve Halys) du XIIIe siècle, qui vient de faire l'objet d'une importante campagne de réfection ; l'Agzikara Han, de 1242, à l'est d'Aksaray, sur la route Kayseri-Konya ; le Horozlou Han (Han du Coq), construit au nord-ouest de Konya vers 1246–1249, et enfin, entre Egridir et Antalya, le Kirk Göz Han, de 1236–1246, avec sa salle barlongue à nef unique au fond d'une cour que bordent deux doubles portiques largement ouverts sur la lumière.

Chacun de ses édifices présente des caractères distinctifs et originaux, tant par le plan que par le décor. Mais ils n'en montrent pas moins une très remarquable unité spatiale et stylistique qui fait la spécificité de l'architecture des Seldjoukides de Roum.

L'efflorescence seldjoukide
Le portail sur cour du Sultan Han, datant de 1229, près d'Aksaray, accumule comme à plaisir, les motifs d'une ornementation redondante et somptueuse. Au-dessus de l'arc surbaissé à claveaux à crossettes, un bandeau d'inscriptions supporte les vigoureuses stalactites de la niche. L'encadrement comporte une série de bordures à entrelacs.

Page 66
L'imagination et la rigueur
Détail du second portail du Sultan Han, au nord de Kayseri, datant de 1232. Dans l'encadrement bordé d'un ruban d'entrelacs géométriques, les motifs orthogonaux combinent swastikas et redents. Ils couvrent le panneau dans lequel s'ouvre la niche à stalactites surmontant la porte de la salle d'hiver.

Comme un tapis
Le motif ornemental qui entoure la porte sur cour du caravansérail de Sultan Han, près de Kayseri, se développe autour de la niche centrale avec la précision d'un travail de tisserand. Diverses rosaces complètent l'ornementation du portail.

Jaillissement de l'inspiration
Comme les portails des *madrasa*, ceux des caravansérails – ici le Sultan Han d'Aksaray – procèdent par addition de motifs divers, où se juxtaposent inscriptions, réseaux, *mukarna*, colonnes et plates-bandes polychromes.

Dépouillement des structures
Par opposition au décor externe, l'espace intérieur est ascétique. Dans le Sultan Han d'Aksaray, la salle d'hiver déroule ses arcades d'une extrême simplicité, avec ses piles sans chapiteau et ses arcs sans décor. Seule la tour-lanterne interrompt le rythme des arcs doubleaux qui renforcent le berceau central.

Trompes à stalactites
La couverture du Sultan Han d'Aksaray à la hauteur de la tour-lanterne. Celle-ci présente, sous le dôme appareillé en spirale, quatre trompes dont *l'intrados* est pourvu de *mukarna*.

En haut
Une volumétrie affirmée
Datant de 1246–1249 et construit dans les environs immédiats de Konya, le Horozlou Han (Caravansérail du Coq) comporte une tour-lanterne à deux niveaux, rehaussée par des alternances d'assises polychromes, et couvert d'une pyramide octogonale.

En bas
Etape vers les ports du Proche-Orient
Sur la route reliant les plateaux anatoliens aux rives de la Méditerranée, le caravansérail de Kirk Göz Han, datant de 1236–1246, est l'ultime étape des caravanes avant le port d'Antalya, où étaient livrés les esclaves et les denrées en partance pour la Syrie et l'Égypte.

Page 71
Majesté de l'espace interne
L'espace interne du caravansérail de Sari Han (Caravansérail Jaune), près d'Avanos, qui a été l'objet d'une remarquable restauration récente, révèle la qualité et la cohérence de cette architecture datant de 1250. Tous les éléments – nef centrale, bas-côtés perpendiculaires et arcades – relèvent du même type d'arcs et de berceaux en tiers-point. Quant à la tour-lanterne, elle diffuse un faible éclairage dans la salle d'hiver.

Des entrepreneurs au service des sultans

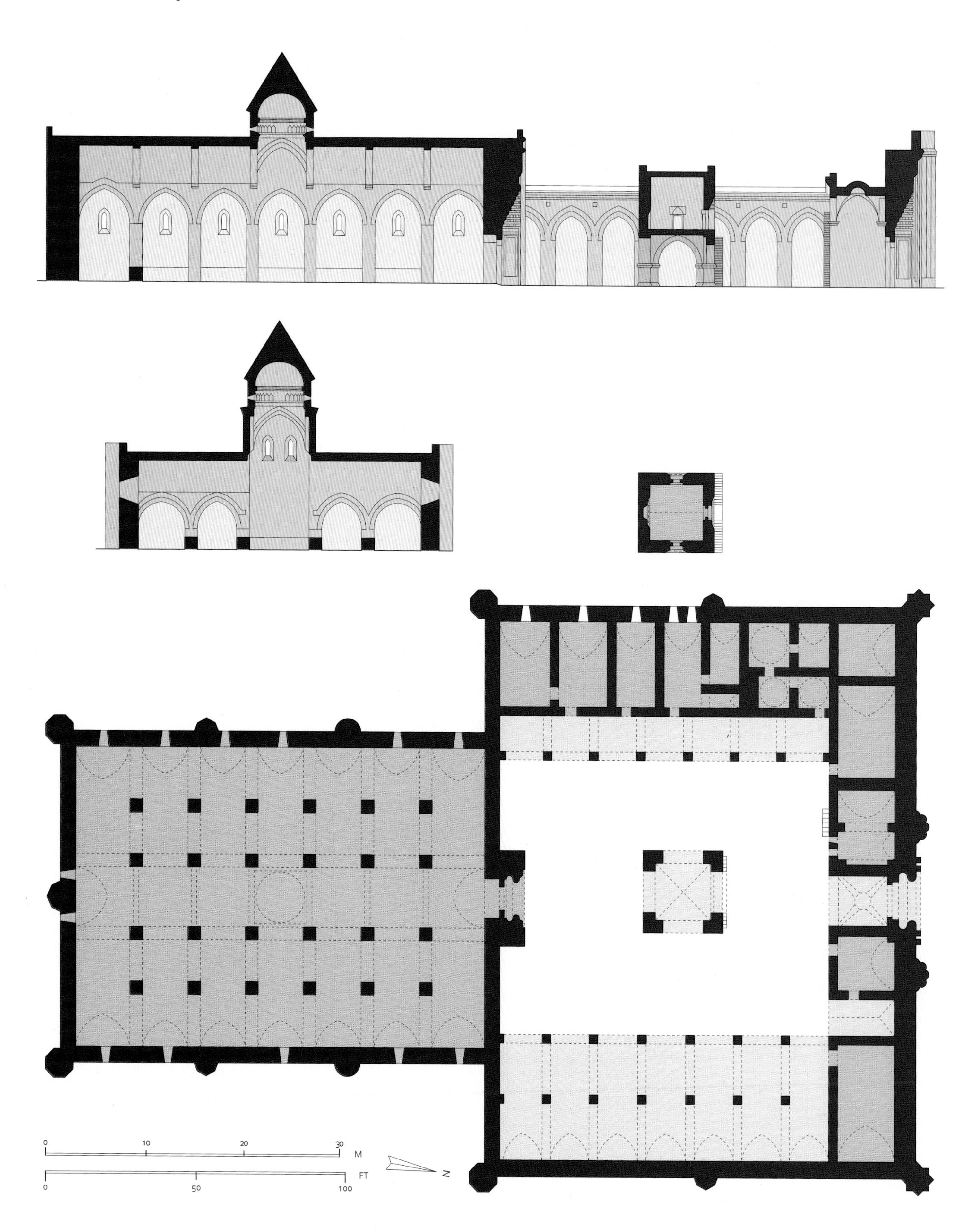

Page 72
Un caravansérail seldjoukide
Coupe longitudinale, coupe transversale au niveau de la tour-lanterne, plan de l'étage de la petite mosquée et plan général du Sultan Han près de Kayseri, datant de 1232. À gauche, la salle d'hiver à cinq nefs, couverte de berceaux brisés, et à droite, la cour bordée de portiques, avec sa mosquée centrale, surélevée et ses communs.

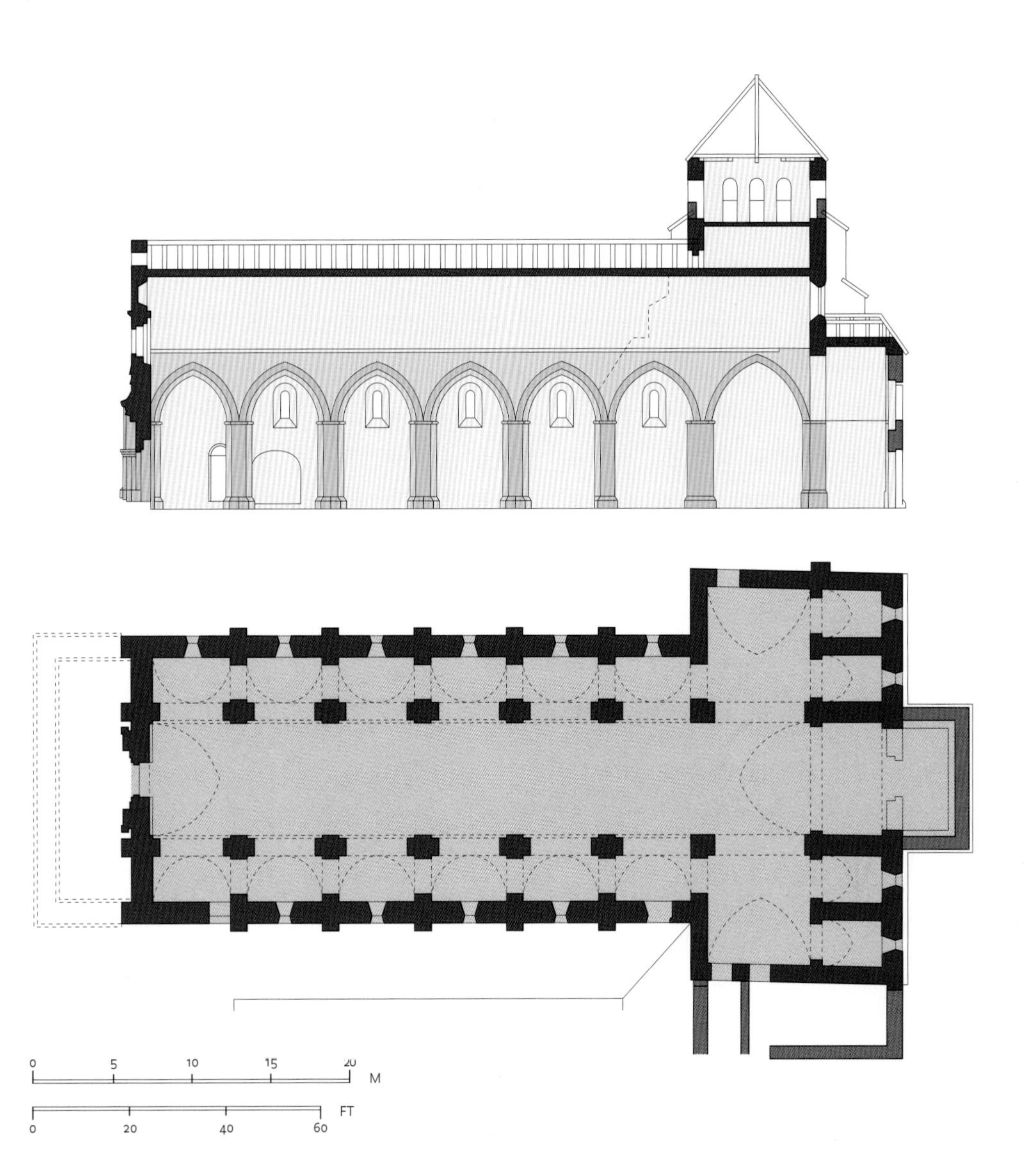

Une église cistercienne
Coupe longitudinale et plan de l'église de Bonmont, sur Nyon (Suisse), datant de 1131–1190. Celle-ci, avec ses voûtes en berceau brisé et ses arcs en tiers-point, semble annoncer le système de construction propre aux bâtisseurs travaillant au service des sultans seldjoukides de Roum. Seules differences notables: l'église est à trois nefs, alors que le caravansérail en compte cinq, et la tour est médiane dans le relais de caravane, alors qu'elle se situe au chevet du bâtiment cistercien.

Les caravansérails seldjoukides présentent, à bien des égards, des ressemblances avec des églises médiévales. La profonde analogie entre les espaces internes des deux Sultan Han (celui proche de Kayseri et celui d'Aksaray), ainsi que du Sari Han d'Avanos, d'une part, et les églises des abbayes cisterciennes de Fontenay, du Thoronet, de l'Escale-Dieu ou de Bonmont, de l'autre, dépasse la simple rencontre fortuite.

Or il se trouve que les caravansérails mentionnés se situent entre 1220 et 1250 environ, alors que les premiers édifices cisterciens remontent à 1130–1180 (Fontenay: 1139–1147; le Thoronet: 1160–1180; l'Escale-Dieu: 1143–1160; Bonmont: 1131–1190). Faut-il en conclure une influence des abbayes sur les caravansérails? Ce n'est guère vraisemblable.

Il faut faire intervenir ici un troisième élément de comparaison: les auteurs – architectes et entrepreneurs – qui ont érigé certains édifices seldjoukides anatoliens. Ainsi, on sait que la mosquée de Divrigi (1229) est construite par deux maîtres: Kuramshah, de Gelat ou Ahalat, en Arménie, et Ahmed ibn Ibrahim, de Tiflis, en Géorgie. Le Hékim Han près de Malatya (1218) – l'un des premiers caravansérails d'Anatolie – est l'œuvre de Abul Hasan de Malatya, dans l'aire arméno-syrienne, qui se dit syrien, mais écrit en arménien (voir ci-dessous). La Gök Medrese de Sivas (1271) est l'œuvre de Maître Kalouyan, dont le nom est de consonnance arménienne, mais qui se dit syrien. Le mausolée de Mama Hatun Kümbet, à Tercan, près d'Erzurum, est construit en 1182 par un architecte nommé Muffadel le Borgne, de Ahalat, en Arménie. Enfin les fortifications d'Alanya et de Sinope sont construites pour Keykobad Ier par un certain Abu Ali Rakka al-Kattani, originaire d'Alep, en Syrie.

L'importance des architectes et tailleurs de pierre (stéréotomie) syro-arméniens est donc marquante dans le monde seldjoukide. Les sultans se sont adressé à des professionnels

De Fontenay à Aksaray
L'église cistercienne de Fontenay (à gauche), construite de 1139 à 1147, se caractérise par sa couverture en carène, renforcée par des arcs doubleaux et des berceaux latéraux en tiers-point. Ces éléments se retrouvent à l'identique dans le caravansérail turc de Sultan Han, près d'Aksaray, de 1229 (à droite).

Du Thoronet à Kayseri
La nef du Thoronet, couverte de son berceau élégant, construite de 1160 à 1180 (à gauche). Certes, ses piles et ses bas-côtés voûtés en quart de cercle contrastent avec les contrebutements cisterciens, mais l'église ne s'apparente pas moins – tant par sa formule générale que par ses doubleaux et ses trois sources de lumière – au Sultan Han proche de Kayseri, datant de 1232 (à droite).

De l'Escale-Dieu au Sari Han d'Avanos
Construite dès 1143, l'église de l'Escale-Dieu fut consacrée en 1160 (à gauche). La formule purement cistercienne de la nef et de ses bas-côtés aux berceaux perpendiculaires annonce le système adopté pour le Sari Han d'Avanos, de 1250 (à droite), les deux édifices montrant le même dépouillement.

Coupoles sur pendentifs
L'analogie que l'on constate dans les voûtements en carènes entre l'art chrétien et l'art seldjoukide se retrouve dans le traitement des coupoles: tant à l'église Sainte-Anne, de Jérusalem (à gauche), antérieure à 1150, que dans le caravansérail de Sultan Han, au nord de Kayseri (à droite), le système des pendentifs supportant le dôme sur des arcs brisés témoigne d'une conception identique. Dans la Jérusalem des Francs – et au Caire, chez les Fatimides où ils édifient les murailles de la ville, sous Badr Gamali (1074) – les Arméniens étaient des grands bâtisseurs.

autochtones, à des artisans chevronnés pour édifier leurs monuments.

On en voit la preuve avec l'inscription d'un caravansérail proche de Malatya: le Hékim Han, datant de 1218. On y lit en effet: «En l'an 667 de l'ère des Arméniens, j'ai construit cette auberge.» L'architecte qui s'exprime ainsi se nomme Abu Salim ibn Abul Hasan, se dit syrien, et mentionne qu'il est médecin. Mais il écrit en caractères arméniens et fournit une date consignée selon le comput arménien qui débute en 551.

Qu'en peut-on conclure quant à l'analogie entre églises cisterciennes et caravansérails seldjoukides? Premièrement, que ce sont des bâtisseurs arméno-syriens, à la tête de véritables équipes d'entrepreneurs, qui travaillent en Anatolie à la demande des sultans. Et secondement que certains de ces mêmes Arméniens – fuyant leur pays au lendemain de Mantzikert en 1071 – s'en sont allés trouver refuge en Occident, où ils ont introduit l'arc en tiers-point et la voûte en carène qui s'imposeront dans l'architecture cistercienne après avoir fait leur apparition à Cluny III.

Tant en Syrie du Nord qu'en Arménie s'était maintenue une tradition architecturale, fondée sur les audacieuses créations d'églises qui éclosent dès les premiers siècles chrétiens. Ces bâtisseurs se distinguent en particulier par le recours à des voûtes en carènes et à des arcs en tiers-point qui apparaissent dans les vallées du Caucase aux IXe et Xe siècles. L'existence d'une tradition unique en Europe au XIIe siècle et en Anatolie au XIIIe siècle peut seule expliquer les similitudes que l'on a constatées: à un siècle d'intervalle, les mêmes bâtisseurs ont influencé deux domaines fort divers de la production architecturale.

À la demande des sultans, qui leur commandaient leurs monuments représentatifs et qui souhaitaient en particulier, dès l'aube du XIIIe siècle, la réalisation rapide d'une chaîne de caravansérails destinés à jalonner les voies commerciales de l'Asie Mineure, les architectes autochtones de l'Est anatolien ont répondu en érigeant des édifices emblématiques. Ils l'ont fait selon le seul vocabulaire spatial qu'ils connaissaient: celui des églises. Ils ont donc adapté leur langage spécifique aux vœux des maîtres d'œuvre.

Seule cette hypothèse parvient à expliquer le recours à des espaces en hauteur – fort peu adaptés à leur destination pratique – pour l'édification des caravansérails seldjoukides. Mais cette constatation fournit aussi la clé de maints aspects de l'architecture religieuse qui voit le jour sous les Turcs d'Anatolie.

Les débuts de l'art ottoman

Élaboration de formes nouvelles

Page 77
L'aube du décor ottoman
Dès ses premières manifestations, l'art qui éclôt durant la période des Émirats turcomans, accompagnant l'ascension des Ottomans, subit le rayonnement de la Perse, et en particulier du répertoire floral des Timurides. Désormais, les formes s'assouplissent et renouvellent en profondeur le style des Seldjoukides. Ce relief datant de 1404, qui orne la Mosquée d'Ilyas Bey, à Balat, près de l'antique cité de Milet, révèle un traitement des œillets qui se perpétuera durant tout le classicisme ottoman.

Ivresse de la géométrie
Parallèlement à l'assouplissement du langage décoratif, l'ornementation des faïences connaît une multitude de variantes à partir de l'hexagone, de l'octogone, du dodécagone, etc. De même, la couleur joue de teintes subtiles. C'est le cas dans ce détail d'un panneau de mosaïque de la Muradiyé Djami, ou Mosquée de Murad II, à Bursa (Brousse), datant de 1426, qui se fonde sur le triangle, le carré et l'hexagone et recourt à une polychromie de blanc, de bleu et de noir.

La période consécutive à l'arrivée des Mongols en Anatolie, après leur victoire à Kösedag en 1243, est marquée par une situation perturbée dans tout le pays. Elle conduira à l'émiettement du Sultanat de Roum. Les Mongols finiront d'ailleurs par mettre à mort le sultan Keykobad III, en 1308. L'Anatolie est alors le théâtre de révoltes, de soulèvements, de troubles à la suite des tentatives de certains chefs de tribus pour imposer leur autorité à une région en pleine déliquescence. C'est le temps des Émirats turcomans.

Malgré ce morcellement de l'autorité, l'architecture conserve souvent une réelle vigueur. De nombreuses *madrasa* sont édifiées dans le plus pur style seldjoukide sous les Ilkhans mongols et les Karamanides, tant à Sivas qu'à Erzurum ou à Nigdé.

Dès l'extrême fin du XIIIe siècle, les Ottomans qui forment l'une de ces tribus turbulentes manifestent leurs ambitions dans le nord-ouest du pays. Le règne d'Osman Ier (1299–1326) marque le début d'une irrésistible ascension.

En 1326, après la prise de Bursa (Brousse), les Osmanli fixent leur capitale dans cette cité qui, sur la rive asiatique de la mer de Marmara, se pose en adversaire direct de Constantinople.

Durant le XIVe siècle, on assiste à de profonds changements, ayant pour conséquence une rapide expansion ottomane au détriment du domaine byzantin en Europe: en effet, en 1361, la ville d'Adrianopolis ou Andrinople (Edirné) est prise. Elle devient la nouvelle capitale des sultans en 1366. Désormais, le territoire de Byzance, réduit comme peau de chagrin, est menacé de tous côtés par les forces turques qui multiplient les sièges pour s'emparer de l'antique capitale des *basileïs*. La ville qui avait été assiégée par les Arabes de 673 à 678, puis de 716 à 717, et que les Croisés avaient prise en 1204, est à nouveau menacée lorsque Bayazid Ier annexe la Bulgarie en 1389, avant d'écraser les Croisés à Nicopolis en 1396. Le sultan a, dès lors, les mains libres pour investir Constantinople pendant sept ans. Les Byzantins sont sauvés par l'arrivée brutale et inopinée des troupes mongoles de Tamerlan (Timur Leng) en Anatolie.

Les Ottomans ne peuvent parer le coup: la défaite du sultan Bayazid Ier devant les forces de Tamerlan à Ankara, en 1402, est une catastrophe qui amène le jeune État des Osmanli au bord de l'anéantissement. Le sultan meurt en captivité. Mais, de son côté, Tamerlan disparaît en 1405, sans avoir pu tirer parti de sa victoire. Son empire entre en décadence.

Alors débute, chez les Ottomans en crise, une féroce lutte pour le pouvoir, d'où émergera, une dizaine d'années plus tard, le sultan Mehmed Ier (1413–1421). Il restaure la puissance turque en Asie Mineure. Désormais l'ascension des Ottomans se poursuit, malgré ce hiatus dramatique, dont on aurait pu croire qu'il briserait leur expansion phénoménale. Il est bon de rappeler quelques jalons de ce redressement victorieux.

Murad II (1421–1444, 1446–1451) entreprend un nouveau siège de la capitale byzantine en 1422, qui se révèle infructueux. Mais il s'impose en Serbie et remporte en 1448, à Kossovo, une victoire qui lui donne l'ensemble des Balkans. Mehmed II,

France
Cluny
Vienne
Buda
Portugal
Espagne
Milan
Gênes
Venise
Mohács
Croatie
Florence
Bosnie
Todi
Rome
Italie
Raguse (Dubrovnik)
Grenade
Méditerranée
Albanie
Corfou
Épire
Prevéza
Alger
Algérie
Sicile
Tunis
Maghreb
Tunisie
Malte
Méditerranée
Tripolitaine
Cyrénaïque

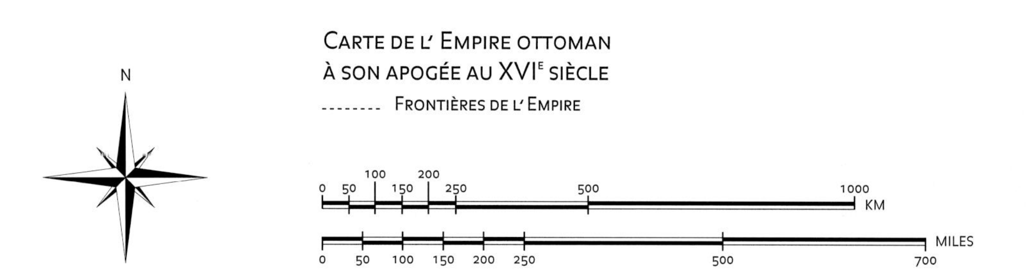
Carte de l' Empire ottoman
à son apogée au XVIe siècle
-------- Frontières de l' Empire
N
0 50 100 150 200 250 500 1000 KM
MILES 0 50 100 150 200 250 500 700

Bessarabie
Mer
d'Azov
Crimée
Caffa (Théodosia)
Valachie
Nicopolis
Bulgarie
Mer Noire
Géorgie
Mer Caspienne
Edirne
Thrace
Istanbul
Üsküdar
Marmara
Izmit
Iznik
Bursa
Amasya
Trabzon
Arménie
Azerbaïdjan
Kösedag
Sivas
Divrigi
Erzurum
Anatolie
Mantzikert
(Malazgirt)
Chaldiran
Afyon
Kayseri
Manisa
Chios
Myrioképhalon
Aksaray
Cappadoce
Van
Tabriz (Tauris)
Samos
Konya
Nigdé
Beychéhir
Silvan
Diyarbakir
Dunaysir
Gorgan
Binbir Kilise
Cilicie
Rhodes
Iskenderun
Alep (Halep)
Tigre (Dicle)
Mésopotamie
Perse
Chypre
Syrie
Méditerranée
Damas
Bagdad
Euphrate (Firat)
Ispahan
Jérusalem
Le Caire
Égypte
Nil
Hedjaz
Golfe Persique
Arabie
Médine
Mer
Rouge
La Mecque

L'affirmation de la maturité
Les formes très harmonieuses et équilibrées de la Mosquée d'Ilyas Bey à Balat, datant de 1404, dans l'Émirat des Menteche, révèlent les progrès accomplis : désormais, le plan et la volumétrie confèrent à l'édifice un classicisme qui participe d'un mouvement cohérent. La sobre coupole hémisphérique reposant sur un octogone et le grand arc surmontant le portail à trois baies sont les signes d'une maturité certaine.

qui monte sur le trône en 1451, a pour but de s'emparer de Constantinople, ville ne disposant plus que d'un territoire minuscule et de quelques possessions sur la mer Noire et dans les îles grecques. Il obtient en 1453, après un bref siège, la reddition de la millénaire cité impériale, dont il fait sa propre capitale, sous le nom d'Istanbul. Désormais, le sultan sera connu sous le nom de Fatih, le Conquérant.

Évolution de la mosquée

Ces événements ne vont pas sans influer sur les concepts des bâtisseurs. Ainsi, au sud-ouest de l'Anatolie, une évolution architecturale s'affirme depuis près d'un siècle, avec le développement d'un type de mosquées dont le prototype était déjà apparu en 1155, avec l'Ulu Djami de Silvan. Il s'agit d'une formule où, derrière une cour en partie ceinte de portiques, la salle de prière barlongue comporte en son centre une grande coupole.

Mentionnons, à l'ouest de l'Asie Mineure, la Grande Mosquée (Ulu Djami) de Manisa, remontant à 1376, qui compte quatre travées de voûtes croisées, formant 19 carrés autour du dôme central, lequel en couvre lui-même neuf. On retrouve une salle en largeur à Urla, près d'Izmir, avec la Fatih Ibrahim Bey Djami. La même tendance se manifeste au sud du pays, durant la seconde moitié du XIVe siècle, à Mut, avec la Lal Agha Djami. Elle apparaît aussi à l'Est, à Mardin, avec la Latifiyé Djami datant de 1371, et la Bab üs-Sur Djami, édifiée durant la seconde partie du XIVe siècle.

Ces formes sont relativement traditionnelles, puisqu'elles s'inspirent de la mosquée arabe classique à plan barlong, plan auquel on n'a ajouté qu'une vaste coupole centrale. Négligée à l'aube de l'âge ottoman, la formule de ces édifices influencera la mosquée Ütch Chereféli d'Edirné, commencée en 1437.

Un espace nouveau
La cour à portiques de la Grande Mosquée (Ulu Djami) de Manisa, datant de 1366, construite sous le règne de l'émir Ishak Bey, de la dynastie des Saruhan, est formée de colonnes antiques de remploi portant des arcs surhaussés et pourvus de tirants qui structurent l'espace.

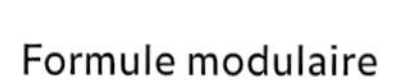

Formule modulaire
Le plan de la Grande Mosquée de Manisa révèle une conception unitaire et cohérente: la cour et la salle de prière couvrent un espace identique subdivisé en 28 unités (4 x 7). La surface du puits de lumière est en outre analogue à celle de la coupole-baldaquin précédant le *mihrab*. Cette grande coupole dominant une salle barlongue inaugure d'ailleurs une formule qui se retrouvera dans l'art ottoman, avec l'Ütch Chereféli Djami d'Edirné, par exemple.

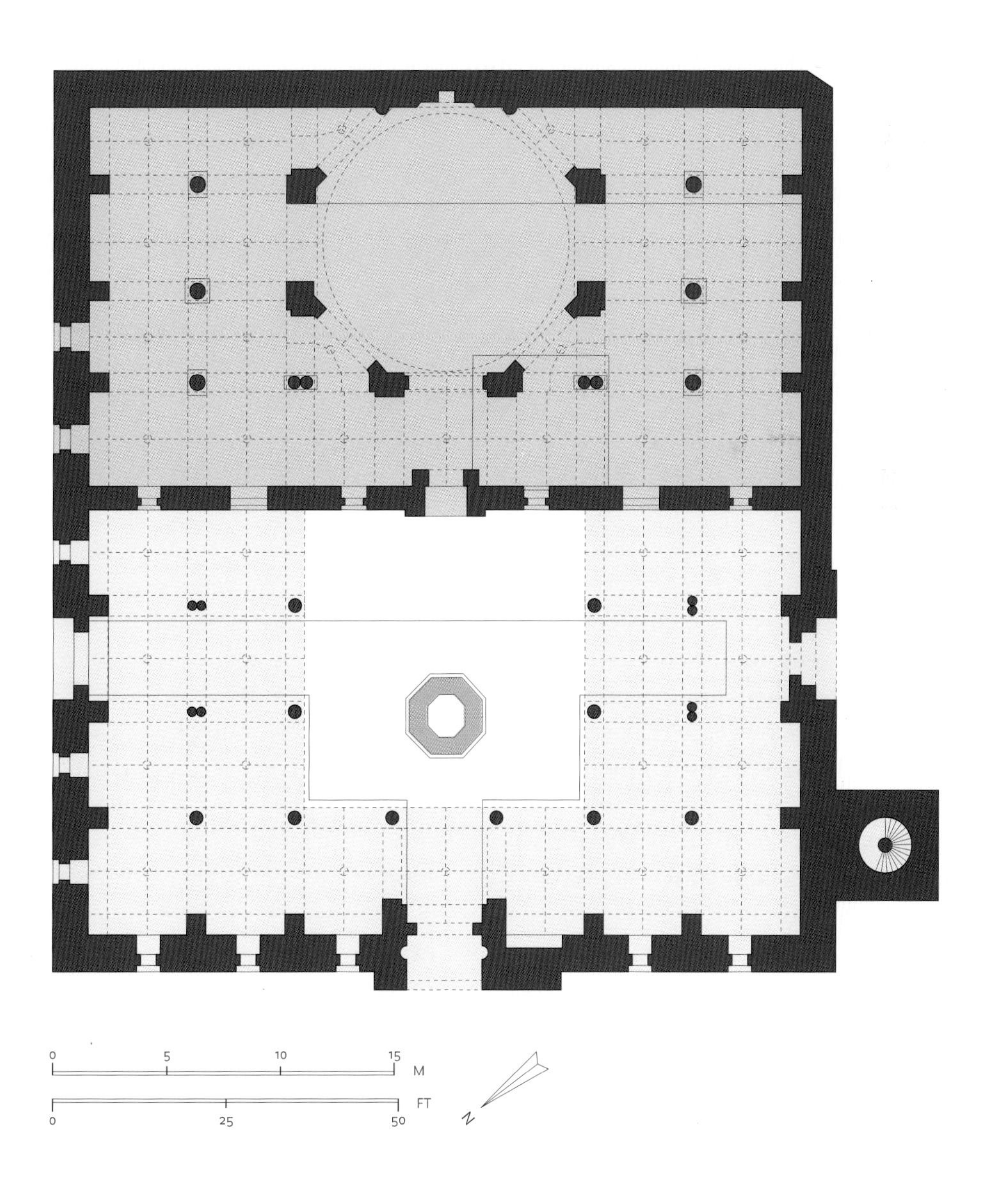

Des débuts modestes
La Yéchil Djami, ou Mosquée Verte d'Iznik, datant de 1378, est un bâtiment d'une grande simplicité: salle rectangulaire, couverte d'une coupole, que précède un portique d'entrée. La mosquée doit son nom aux délicates touches de couleur des faïences ornant le fût du minaret, dont la galerie est supportée par des rangées de stalactites en encorbellement (ci-dessus).

En revanche, dans l'Émirat des Menteche, un autre type trouve à s'exprimer: le sanctuaire à coupole unique, couvrant tout l'espace. La Mosquée d'Ilyas Bey, à Balat, près de Milet, datant de 1404, illustre cette solution particulière. Il s'agit d'une construction rigoureuse et unitaire, dont la salle carrée – sans portique d'entrée – est surmontée d'un tambour octogonal qui supporte le dôme. La date, remarquablement précoce pour une telle création, doit retenir l'attention; car elle marque une avancée par rapport aux édifices contemporains des Ottomans. La pureté de son élévation, la clarté de l'ornementation, limitée à la porte et aux claires-voies qui la flanquent, la sobriété de la modénature et l'élégance du grand arc brisé surmontant le porche en font un modèle, malgré une certaine massivité qui se traduit par un éclairage interne insuffisant. Cette particularité persistera dans les bâtiments du XVe siècle jusqu'aux créations de l'architecte Hayreddin pour Bayazid II.

L'originalité ottomane à Iznik et Bursa

Les premiers édifices dans lesquels s'affirme un style propre aux Ottomans se trouvent à Iznik, avec la Yéchil Djami, ou Mosquée Verte, construite de 1378 à 1391, puis à Bursa (Brousse) avec les monuments érigés entre 1390 et 1451 par les sultans Murad Ier, Bayazid Yildirim, Mehmed Ier et Murad II.

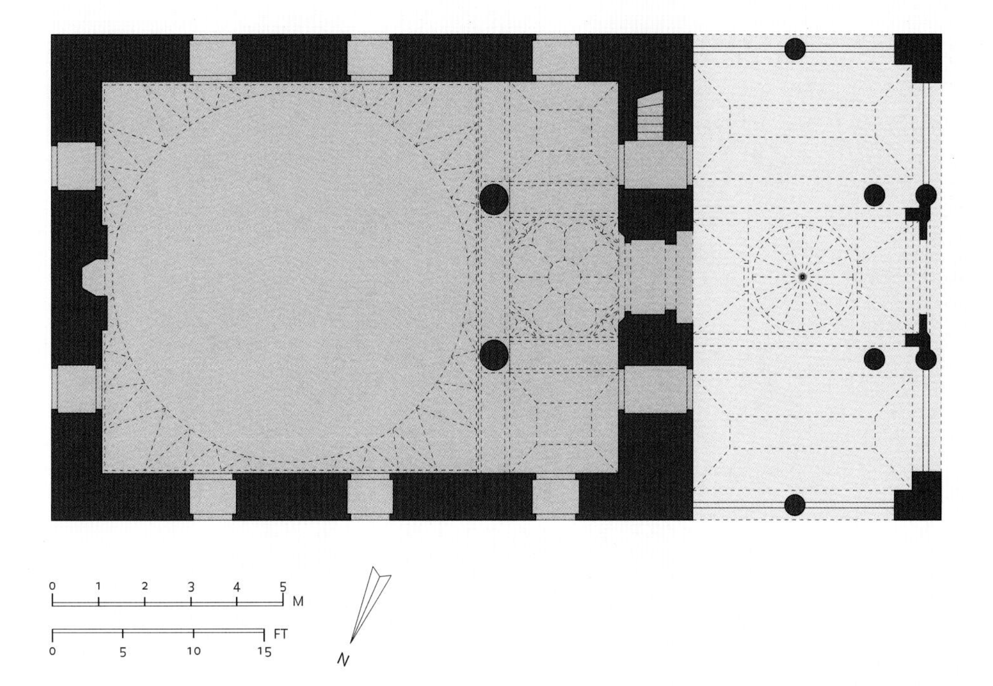

Un plan très sobre
La Yéchil Djami d'Iznik comporte une salle de prière rectangulaire, incluant une sorte de vestibule. La coupole est reliée au plan carré par des plissés turcs. Une entrée à trois baies donne accès à l'espace interne.

La Mosquée Verte d'Iznik (l'antique Nicée des Byzantins) doit son nom aux faïences qui couvrent son unique minaret en brique : le fût et la galerie haute, soutenue par des stalactites, sont pourvus de glaçures d'un bleu-vert. L'édifice, précédé d'un portique d'entrée, est formé d'une petite salle carrée, que surmonte une coupole hémisphérique sur tambour. La construction est réalisée en marbre – probablement récupéré sur des édifices antiques.

Tout l'intérêt converge sur le portique comprenant deux rangées de trois arcades. Les arcs légèrement brisés reposent sur des colonnes de remploi que relient de beaux panneaux à claire-voie à motifs ajourés en étoiles. À la base des chapiteaux à feuillage très stylisé s'épanouit une rangée de *mukarna*. Le portail, avec son lourd encadrement, est bordé d'une frise de stalactites. Ce vocabulaire ornemental ne se distingue guère de celui des Seldjoukides. Le bâtiment n'en demeure pas moins différent des constructions précédentes, tant par son caractère compact et strict que par son espace très sobre.

Pour en revenir aux faïences bleues qui rehaussent le minaret, il faut mentionner qu'Iznik deviendra, pendant toute la période qui va du XVe au XVIIIe siècle, le grand centre de production des carreaux émaillés polychromes qui orneront les palais et mosquées ottomans. Grâce à des artisans de Tabriz, déportés au lendemain des guerres opposant la Turquie à la Perse, les Ottomans développent cet art de la céramique ornementale qui s'inscrit dans la tradition des sultans de la Perse mongole et timuride.

Avant d'évoquer d'autres réalisations, il faut citer la Grande Mosquée, ou Ulu Djami, de Bursa, construite dès 1396, qui forme un bel espace hypostyle à cinq nefs et quatre travées. Ses douze piliers carrés sont surmontés de vingt petits dômes. C'est un plan traditionnel qui va faire place, dans le monde ottoman, aux formes nouvelles des fondations sultaniales.

En réalité, l'art ottoman est à la recherche de solutions neuves. Car on voit paraître alors à Bursa des salles de prière régies par un plan très particulier, fondé sur deux coupoles en file. Ces deux coupoles principales, disposées l'une derrière l'autre, caractérisent un type de mosquée qui se maintiendra jusqu'au lendemain de la prise de Constantinople en 1453, avec la Murad Pacha Djami à Istanbul, datant de 1466, ainsi que la mosquée de Bayazid II à Amasya, de 1486.

À Bursa, le premier édifice de ce type est la Bayazid Yildirim Djami, construite entre 1391 et 1400 par le sultan Bayazid Ier. Elle fait partie d'une *külliyé* comprenant, outre la mosquée, une *madrasa,* le *türbé* du fondateur, un *hammam* et différents kiosques. La mosquée possède un porche imposant, couvert de cinq petits dômes, avec un décor de stalactites. À l'intérieur, la liaison entre les deux espaces à coupoles est encore maladroite.

Dans ces édifices, la première des deux coupoles est flanquée de «bas-côtés» comportant latéralement deux petits dômes qui la contrebutent. Dans son prolongement, le second espace, contenant le *mihrab,* forme une manière de chevet saillant. Il en résulte un plan en T renversé, caractéristique des plus anciennes mosquées de style ottoman. On constate d'emblée que le principe de l'espace barlong – propre aux salles de prières arabes – fait place ici à un espace en longueur, inspiré de celui des églises chrétiennes. Dans un tel agencement, l'élargissement que forment les petits dômes latéraux s'apparente à un transept.

La faïence architecturale, dont il a été question à Iznik, se retrouve à Bursa, avec la Yéchil Djami et le Yéchil Türbé (le mot *yéchil* signifiant «vert»). Ces deux bâtiments furent construits respectivement en 1419 et 1421 pour Mehmed Ier par un architecte nommé Hadji Ivaz, avec le concours, pour la décoration de faïence, d'un certain Ali, originaire de Tabriz. Ici également, la mosquée est un édifice à deux coupoles en file. Ces deux coupoles (la plus grande n'excède pas 12,5 m de diamètre) reposent sur un tambour à «plissés turcs». Il s'agit d'une solution qui vise à résoudre le problème du passage entre le plan carré et la base circulaire du dôme, en ne recourant qu'à des formes géométriques rectilignes, afin d'éviter les pendentifs à section sphérique. Cette liaison crée une zone intermédiaire, dont les plissés animent l'espace et font vibrer la lumière entre deux surfaces paisibles: le mur de la salle et l'*intrados* de la coupole.

Une certaine maladresse
Les trois baies hiérarchisées de l'entrée de la Yéchil Djami d'Iznik sont pourvues d'arcs brisés. De part et d'autre, des balustrades à *claustra* de marbre se parent d'un beau dessin géométrique. L'entrée présente un encadrement à stalactites profondéments sculptées. L'agencement général reste pourtant gauche, avec la juxtaposition peu convaincante du cadre et des colonnes à chapiteaux, dénotant le recours à des remplois.

Des rangées de *mukarna*
Le portail qui donne accès à la Grande Mosquée de Bursa est orné d'un harmonieux voûtement à stalactites de pierre, dont le tracé géométrique tapisse une demi-coupole.

Tradition et innovation
La salle de prière de l'Ulu Djami de Bursa, datant de 1396, forme une salle hypostyle sur des piliers carrés surmontés de grands arcs brisés, qui supportent des coupoles. Avec son puits de lumière central, elle se rattache aux traditions seldjoukides, tout en annonçant les formules neuves, fondées sur les files de coupoles.

À gauche
Deux dômes couvrent l'espace
Vue zénithale sur les deux coupoles inégales de la Bayazid Yildirim Djami de Bursa, qui surmontent un plan basilical, le premier art ottoman se refusant en général à recourir au plan barlong, d'origine arabe.

À la recherche d'une solution
La silhouette originale de la Bayazid Yildirim Djami de Bursa comporte un minaret flanquant le vestibule et deux coupoles qui révèlent leur inégalité. Le recours aux coupoles en file remonte à des prototypes byzantins.

L'affirmation d'une formule
Le portique d'entrée de la Bayazid Yildirim Djami forme un porche couvert de cinq dômes. Il s'articule sur un module fait de carrés juxtaposés que rythment des arcs surbaissés. La solution du porche, comme transition entre espaces externe et interne, est également propre aux Byzantins.

Page 89
Une articulation complexe
L'espace interne de la mosquée de Bayazid Yildirim, à Bursa, est régi par les deux grandes coupoles. Il comporte en outre des «bas-côtés», couverts de petits dômes qui déterminent un plan en T.
À gauche, le sanctuaire contenant le *mihrab* (avec le *minbar* visible ici) est légèrement surélevé, de même que les «bas-côtés». Un grand arc en anse de panier fait communiquer entre elles les deux entités, alors que les espaces latéraux sont précédés d'arcs brisés.

À gauche
Le décor en mosaïque
L'utilisation de la faïence polychrome dans le Yéchil Türbé de Bursa, construit par Mehmed Ier en 1421, dénote une influence timuride. De part et d'autre du portail d'entrée, des niches à stalactites se parent d'un riche décor de brique émaillée, où alternent les motifs floraux et les inscriptions.

En haut à droite
Un mausolée octogonal
Le Yéchil Türbé (Tombeau Vert) de Bursa est un mausolée-tour qui s'inscrit dans la tradition des *türbé* seldjoukides. Il se fonde sur un plan octogonal que précède un portail légèrement saillant.

En bas à droite
Le plissé turc
L'architecte du Yéchil Türbé de Bursa recourt, aux angles du portail d'entrée, à des plissés turcs, formule originale utilisée pour passer de l'angle droit à la section circulaire sans recourir ni au pendentif, ni à la trompe d'angle. Ici, cette zone de transition surmonte une frise de stalactites.

Page 91
Faste de la loge impériale
Succédant aux *basileis* byzantins, les sultans ottomans ménagent, à l'étage de leur mosquée, une loge somptueuse. Dans la Mosquée Verte, ou Yéchil Djami, de Bursa, construite par Mehmed Ier dès 1419, l'espace d'où le souverain suit le rituel de la prière est revêtu de faïence et de mosaïque d'or. Une bordure de stalactites relie entre les murs et le plafond.

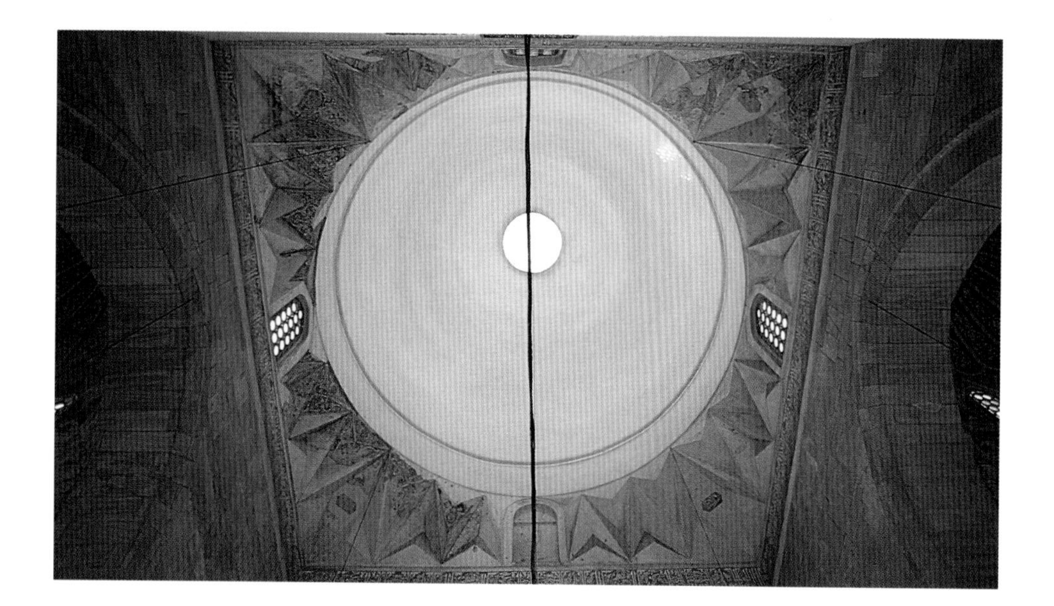

L'intérieur de la Mosquée Verte
Contre-plongée sur la première coupole de la Yéchil Djami de Bursa, où l'on observe la présence des plissés turcs à la base du dôme qu'éclaire un *oculus*, à la manière antique.

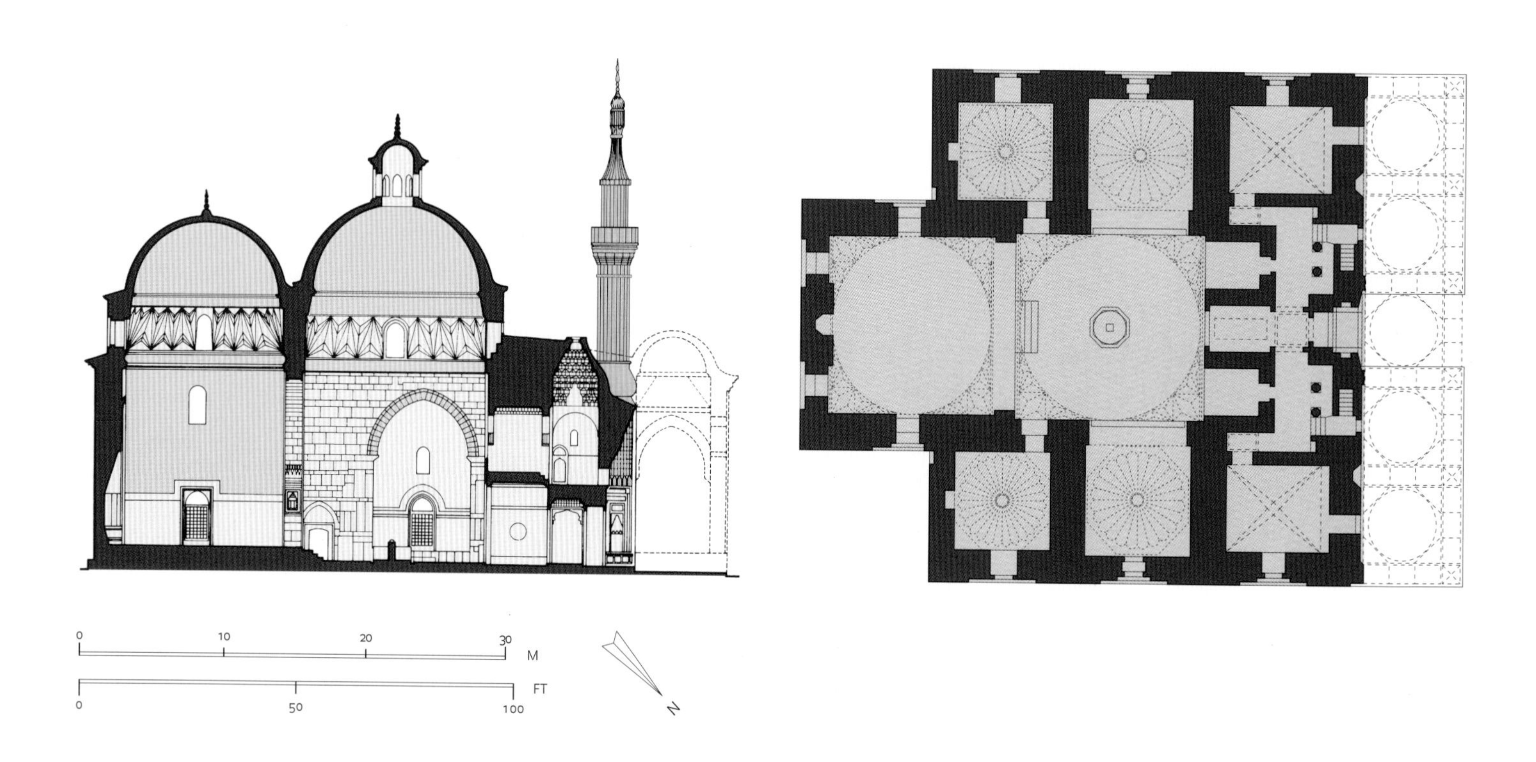

Une expérimentation avec l'espace
Coupe longitudinale et plans de la Mosquée Verte (Yéchil Djami) à Bursa. La disposition en T des deux coupoles en file, flanquées de «bas-côtés» également couverts de dômes, révèle les tâtonnements du premier art ottoman à la recherche de son identité. Une multitude de solutions est mise en œuvre pour les couvertures.

De même que l'église byzantine possédait une loge impériale, d'où le *basileus* suivait la messe, la Mosquée Verte de Bursa comporte, au-dessus de l'entrée axiale, une loge du sultan, entièrement revêtue d'une extraordinaire parure de faïence verte à reflets dorés. Elle forme autour de sa personne comme un écrin précieux. C'est désormais à l'intérieur du bâtiment – et non plus à l'extérieur seulement – que s'épanouit l'art de la céramique polychrome: il tapisse tout l'espace et recouvre les fines stalactites disposées à la jonction entre murs et plafond. Un léger relief souligne les réseaux d'étoiles et d'octogones régissant le tracé de ce décor somptueux.

L'entrée était précédée d'un porche sur colonnes, comportant cinq petits dômes. Comme la mosquée de Bayazid Yildirim, le bâtiment ne possède pas de cour. Mais il se combine avec d'autres édifices pour former une fondation pieuse, ou *külliyé,* incluant, outre la mosquée, une *madrasa* et un *türbé.* Ce dernier – le Yéchil Türbé de Bursa, qui forme le mausolée de Mehmed Ier – se présente comme une tour octogonale. Il reprend ainsi le plan généralement usité pour les monuments

Un projet rigoureux
Le chevet de la Muradiyé Djami, ou mosquée de Murad II, construite entre 1424 et 1426 à Bursa atteste la recherche de formules plastiques d'une grande cohérence, régies par une stricte symétrie : salle cubique et coupole hémisphérique sur tambour octogonal, le tout encadré par deux minarets.

Espace de la Muradiyé
La vue transversale – d'un bas-côté à l'autre – dans la mosquée de Murad II, à Bursa, révèle la spatialité très particulière de cet édifice à deux coupoles en file, avec ses arcs surbaissés, ses dénivelés au sol et ses curieux pendentifs tapissés de *mukarna* ou de motifs étoilés.

Couvrement polychrome
Jeu de polychromie d'un plafond à caisson et rythmes géométriques des mosaïques de faïence qui l'entourent à l'entrée de la Muradiyé de Bursa. Les motifs hexagonaux se répondent par l'entremise d'une baguette d'angle à stalactites.

Les mausolées ottomans
Les édifices funéraires érigés autour de la Muradiyé de Bursa sont tantôt carrés, tantôt octogonaux, avec une couverture hémisphérique sur tambour. À gauche, le complexe du tombeau de Murad II, et, à droite, le mausolée du prince Ahmed.

Page 95
Édifice à déambulatoire
Vue interne du tombeau de Murad II, érigé en 1451. Le cénotaphe du sultan repose sous une coupole que supportent des arcades où alternent piliers d'angles et colonnes. L'octogone est obtenu par de petites trompes à stalactites. La formule du déambulatoire permet aux fidèles d'effectuer le rite de circumambulation.

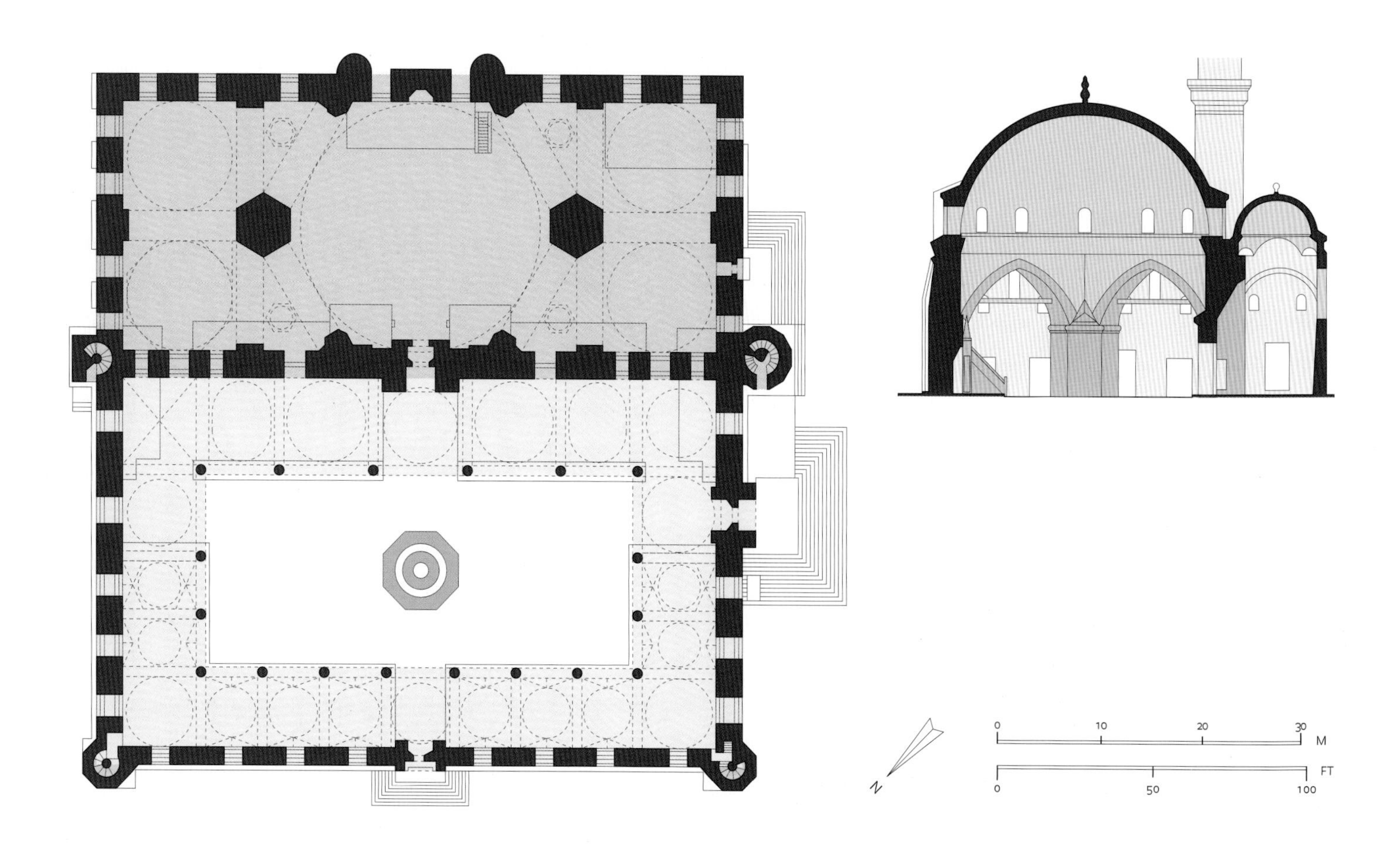

funéraires des Seldjoukides. Son portail d'entrée, sous la niche à côtes qui le surmonte, est paré de stalactites et de plissés turcs, rehaussés de mosaïques de faïence traitées à la manière des œuvres timurides de Perse.

Le plan à deux coupoles en file se retrouve dans la Muradiyé, ou mosquée de la *külliyé* de Murad II, construite de 1426 à 1437. La formule, à l'évidence inspirée par les édifices byzantins (Sainte-Irène de Constantinople après Saint-Jean d'Éphèse, etc.), marque une évolution des tendances islamiques. Certes, la présence d'un dénivelé, avec un sol plus élevé dans la salle située sous la deuxième coupole, atténue l'impression longitudinale. Elle ne parvient pourtant pas à la gommer, ni à la doter d'un «contrepoids» grâce aux liaisons établies avec les ouvertures reliant la «nef» aux «bas-côtés».

Le décor de la Muradiyé reprend les formules à plissés à la base des coupoles, ainsi que les pendentifs tapissés de stalactites aux angles. Il multiplie aussi les plinthes de mosaïque en céramique polychrome, dans lesquelles dominent les bleus, les blancs et les noirs.

Dans la *külliyé* qu'il crée à Bursa, Murad II réalise également une série de *türbé*, dont son propre mausolée, datant de 1451, où il opte pour une formule qui se prête au rituel de la circumambulation: un déambulatoire entoure les piliers qui alternent avec des colonnes pour supporter la coupole.

Une réaction: la Mosquée Ütch Chereféli d'Edirné

Onze ans après sa mosquée de Bursa, Murad II fait construire, entre 1437 et 1447, la Ütch Chereféli Djami qui s'élève dans la capitale turque du moment, à Edirné. C'est une grande mosquée d'un type très différent des modèles à deux coupoles. Elle semble se référer aux concepts exprimés à Mut, Mardin et Manisa, dont il a été question au début de ce chapitre.

Ce vaste édifice – couvrant un espace de 65 m sur 67 m, soit 4 200 m^2 – présente une salle de prière barlongue (*haram* transversal), surmontée d'une grande coupole

Une tentative originale
À Edirné, au nord-ouest d'Istanbul, la mosquée Ütch Chereféli construite par le sultan Murad II, date de 1438–1447. Le plan général et la coupe de la salle de prière révèlent qu'il s'agit d'un laboratoire de recherches. La cour barlongue à portiques comporte des voûtements hétérogènes: dômes de divers diamètres, croisées, coupoles ovales. Elle est bordée de colonnes au nombre de huit du côté de l'entrée et de six le long de la salle de prière. Celle-ci, nettement barlongue, est formée d'une vaste coupole centrale hexagonale, flanquée de deux plus petites de chaque côté. De puissants piliers hexagonaux reçoivent les retombées des grands arcs intérieurs.

Un organisme complexe
La vue verticale dans l'Ütch Chereféli Djami d'Edirné révèle le système de couverture : à droite, la grande coupole, et à gauche, l'une des coupoles latérales à côtes. Entre les deux, un organe triangulaire est délimité par les arcs de contention qui retombent sur l'une des piles hexagonales (en bas).

Un espace trapu
À l'intérieur de la mosquée Ütch Chereféli d'Edirné, l'espace que génère la grande coupole de 24 m de diamètre se révèle obscur et écrasant. La tentative pour conférer la primauté au couvrement par dôme unique est encore inaboutie : il faudra attendre les architectes géniaux que sont Hayreddin et surtout Sinan pour apporter une solution satisfaisante à cette problématique.

Dominée par un minaret hélicoïdal
Malgré le caractère hétérogène de ses voûtes et coupoles, la cour de l'Ütch Chereféli Djami d'Edirné, achevée en 1447, est l'élément le plus réussi de cette mosquée expérimentale. On y découvre tous les caractères de l'architecture ottomane: légèreté, finesse, élégance.

Survivance de l'*atrium* byzantin
Rythmé par l'alternance des claveaux rouges et blancs, le portique sur cour de l'Ütch Chereféli Djami d'Edirné repose sur des colonnes monolithiques d'une extrême finesse. De petits dômes sur tambour ponctuent la toiture.

Apparition du décor ottoman classique
La niche à stalactites qui surmonte la porte de la salle de prière dans la mosquée Ütch Chereféli, à Edirné, évoque la pleine maturité d'un art qui sait faire alterner les surfaces unies et les éléments refouillés.

sur tracé hexagonal, mesurant 24 m de diamètre. Sur les côtés, la coupole principale qui s'appuie sur deux énormes piles est contrebutée par une paire de petits dômes de 11 m de diamètre. Une cour bordée de portiques flanque la salle de prière sur toute sa largeur.

L'entreprise est une gageure. Les dimensions traduisent l'ambition du maître d'œuvre. Bien que la coupole centrale soit éclairée par douze baies ménagées dans les reins de la structure, l'espace n'en demeure pas moins obscur. Faute de hauteur, la salle de prière – qui ne mesure que 28 m à la clé – semble trapue, massive et lourde. Les solutions statiques ne sont pas toujours maîtrisées ni spatialement opportunes. On en veut pour preuve les triangles de rattrapage bordant latéralement l'hexagone, avec leurs arcs épais. Enfin le profil du dôme, surbaissé, contribue à l'impression de pesanteur.

En revanche, le portique pourtournant qui rythme la cour, avec son bassin central à ablutions, a déjà l'élégance et la légèreté des créations «classiques». Pourtant sa conception montre aussi quelque gaucherie: les dômes sont de différents diamètres, certains étant même ovales pour racheter des rythmes irréguliers dus à la présence des portes. On compte neuf petites coupoles du côté de l'entrée principale, pour sept coupoles irrégulières jouxtant la salle de prière. Bref, la mosquée Ütch Chereféli à Edirné ouvre une voie. Mais elle ne constitue pas une réussite.

L'architecte Hayreddin au service de Bayazid II

Successeur de Mehmed II le Conquérant, le sultan Bayazid II (1481–1512) laisse deux réalisations architecturales majeures qui lui valent de passer à la postérité: l'ensemble de sa *külliyé* à Edirné et sa mosquée sultaniale à Istanbul. Grâce à la forte personnalité de l'architecte Hayreddin, qui est le créateur présumé de ces œuvres, l'art ottoman atteint son stade classique, même s'il faut attendre Sinan pour qu'il donne ses plus purs chefs-d'œuvre.

Bayazid II, comme son père, s'intéresse au monde occidental: vers 1501, il demande à Léonard de Vinci de construire un pont sur la Corne d'Or. L'opération ne

Une conception grandiose: la *külliyé* de Fatih à Istanbul

Dominant le Bosphore
Avant la prise de Constantinople, les Ottomans ont édifié sur les détroits de puissantes forteresses destinées au siège de la capitale byzantine. La citadelle de Ruméli Hisar, que bâtit Mehmed II en 1452 – un an avant la chute de Byzance – se dresse au point le plus étroit du Bosphore.

La prise de Constantinople par Mehmed II le Conquérant (1451–1481) va doper l'architecture ottomane. Le contact quotidien avec les chefs-d'œuvre byzantins et la conscience des Ottomans d'incarner désormais la puissance impériale créent un besoin de monuments emblématiques, conçus à une échelle en accord avec les dimensions de l'empire. Il faut doter Istanbul d'ensembles comparables aux grandes œuvres byzantines.

S'entourant de savants, d'artistes et de techniciens grecs, italiens et d'Europe centrale, le sultan veut connaître, comprendre. Il est le premier, dans le monde islamique, à s'intéresser à l'artillerie et à confier à des maîtres de forge allemands la production de ses canons. Clairvoyant, Mehmed Fatih, qui n'a que 24 ans lorsqu'il s'empare de Constantinople, se veut «moderne» avant la lettre. C'est le contraire d'un fanatique. Il s'intéresse à la religion chrétienne qui était celle de sa mère. Il protège la minorité juive et étudie le courant chiite des Persans. Il se fait lire les écrits des auteurs grecs et latins – Sénèque, Polybe, Claude Ptolémée, etc. Il apprécie les arts occidentaux: à la fin de sa vie, il fera venir à sa cour le peintre vénitien Gentile Bellini.

C'est dans cet esprit qu'il décide la construction d'une mosquée sultaniale à Istanbul. Elle se dressera, avec son immense *külliyé,* à l'emplacement où subsistait (en ruines depuis les déprédations des Francs, lors de la Quatrième Croisade (1204)) l'église des Saints-Apôtres, construite par Justinien sur l'une des collines de Constantinople. Il porte son choix sur un architecte chrétien, nommé Christodoulos, que l'on connaîtra sous le nom de Sinan le Vieux (Atik Sinan), pour le distinguer du grand Sinan qui travaillera pour Soliman et Sélim II. Ce bâtisseur va rompre entièrement avec le courant de Bursa.

La Mosquée du Conquérant (Mehmed Fatih Djami), construite entre 1463 et 1470, au centre d'une *külliyé* occupant un quadrilatère de 320 m sur 320 m (10 ha!), n'a pas résisté à un séisme qui l'a détruite en 1766. (L'actuelle mosquée a été édifiée en 1767 selon un plan différent, s'inspirant autant de la Shézadé de Sinan que de la Mosquée Bleue de Mehmed Agha.) On sait néanmoins, par des gravures d'époque et par des fouilles menées sur le terrain, qu'elle traduisait une nette influence de la basilique Sainte-Sophie: avec sa cour barlongue, cernée de portiques autour de la fontaine à ablutions, elle se présentait comme un bâtiment imposant de 96 m sur 56 m.

La salle de prière se composait d'une coupole de 26 m de diamètre, à laquelle s'ajoutait un espace rectangulaire, couvert d'une demi-coupole, surmontant le *mihrab*. De part et d'autre, une rangée de trois petites coupoles contrebutait l'ensemble. Il s'agit donc d'une formule reproduisant, à échelle réduite, la partie centrale et postérieure de Sainte-Sophie de Justinien. Seule avait été éliminée la partie antérieure, que devait également couvrir une demi-coupole. Cette amputation par rapport au modèle était, semble-t-il, due à la volonté de mieux répondre aux impératifs traditionnels de l'espace barlong des mosquées de l'Islam classique. Mais c'est elle aussi qui – privant l'édifice d'un contrebutement sur sa façade nord – fut probablement la cause de son écroulement.

En revanche, les bâtiments de la *külliyé* de Fatih subsistent et permettent de saisir l'ampleur du programme. Par opposition aux fondations pieuses de Bursa, relativement désordonnées et disséminées dans le paysage, l'ensemble présente ici une organisation stricte et orthogonale: huit *madrasa* à cour intérieure bordée de portiques, huit édifices en longueur sur les côtés (boutiques ou logements), un *imaret* ou cuisine populaire, un caravansérail et des mausolées ou *türbé*. Le tout obéit à une disposition symétrique, rigoureusement ordonnée, sur une esplanade qui domine la ville.

Cette conception grandiose, qui, par son ampleur et son caractère fonctionnel, dépasse la plupart des programmes architecturaux de la Renaissance en Occident, fait de la *külliyé* de Fatih l'un des paradigmes de l'architecture ottomane à venir.

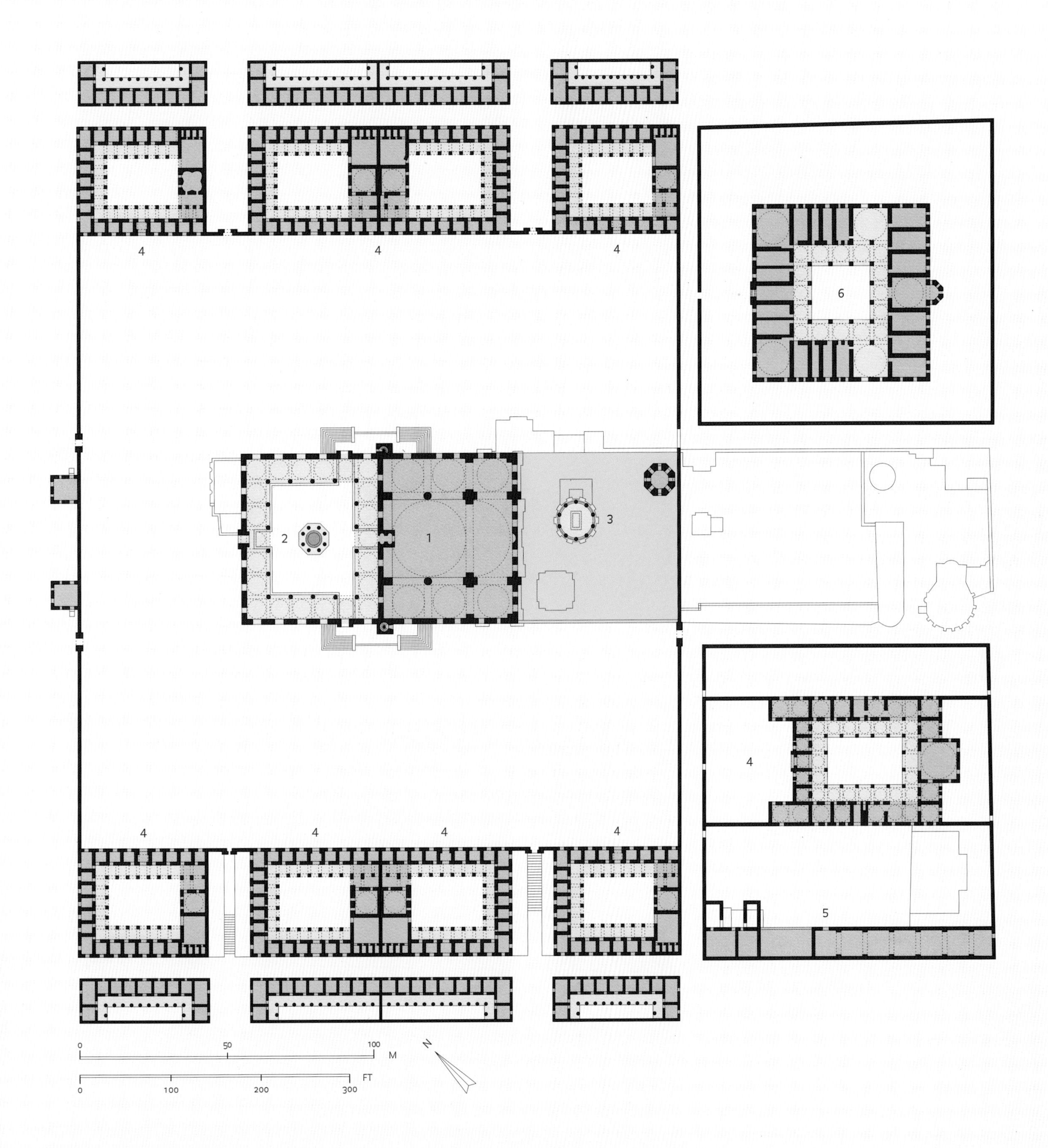

Pour commémorer la victoire
Lorsque Mehmed II Fatih (le «Victorieux») eut conquis Constantinople – qui devint alors Istanbul – il fit ériger, entre 1463 et 1470, à l'emplacement de l'ancienne église byzantine des Saints-Apôtres alors ruinée, une mosquée entourée d'une série d'édifices publics : *madrasa*, bibliothèque, *imaret* ou cuisine populaire, caravansérails et *türbé*. Cet ensemble forme un immense complexe. C'est ce que les Turcs nomment une *külliyé*, ou fondation pieuse. Avec la Fatih Djami qui en occupe le centre, ce complexe bâti ne couvre pas moins de 10 ha. Son implantation symétrique et ses vastes espaces libres sont le fait d'un architecte nommé Atik Sinan (Sinan le Vieux – pour le distinguer du célèbre Sinan qui œuvrera sous les règnes des sultans Soliman et de Sélim II).

1 Mosquée
2 Cour
3 *Türbé*
4 *Madrasa*
5 Caravansérail
6 Bibliothèque

Une réussite éminente
La vaste *külliyé* achevée en 1488 par le sultan Bayazid II (1481–1512) dans la ville d'Edirné peut passer à juste titre pour le premier chef-d'œuvre de l'art ottoman. Dû à l'architecte Hayreddin, cet ensemble regroupe une mosquée, un hôpital, un asile d'aliénés, une école de médecine, une cuisine et une boulangerie, ainsi qu'une paire de *madrasa*. La conception joue des oppositions de bâtiments, du jaillissement des minarets et des formules répétitives, soulignées par les files de coupoles rythmées par les accents des cheminées. Elle allie la rigueur au pittoresque.

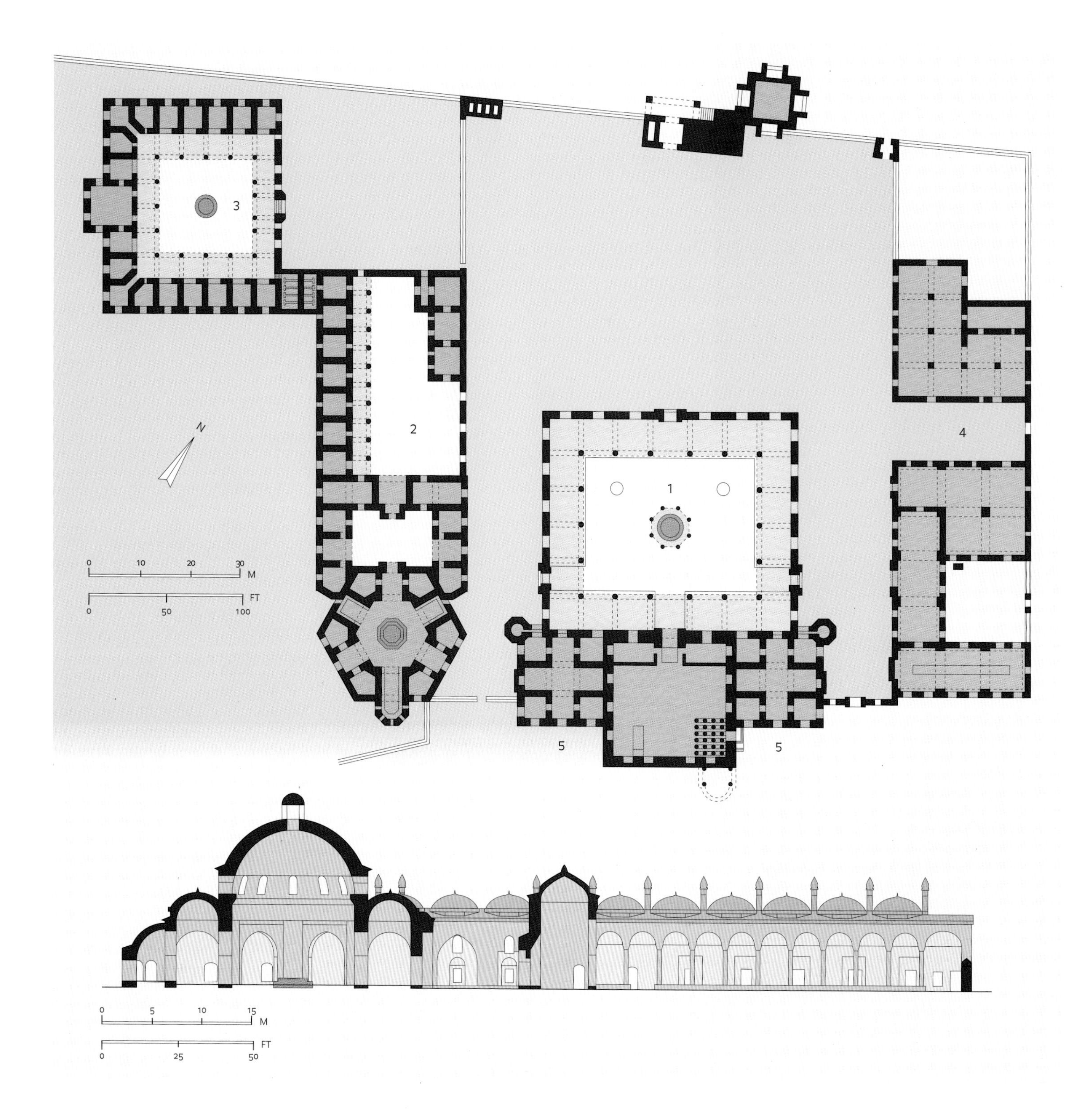

Un espace limpide
Vue transversale sur la cour précédant la mosquée de la *külliyé* construite par Bayazid II à Edirné. La présence d'une colonne sur l'axe caractérise les créations de l'architecte Hayreddin, tant à Edirné qu'à Istanbul.

Page 104 en haut
La *külliyé* de Bayazid II
Plan général de la *külliyé* de Bayazid II, à Edirné: divers bâtiments composent cette fondation pieuse du sultan, associant les préoccupations spirituelles et matérielles. Construit à la fin du XVe siècle, cet ensemble au plan très libre contraste avec celui de Mehmed Fatih à Istanbul, régi par un parti symétrique.

1 Mosquée
2 Hôpital et asile d'aliénés
3 École de Médecine
4 Cuisine et boulangerie
5 *Madrasa* et bibliothèque
En bas: Coupe longitudinale de l'asile d'aliénés, où se pratiquaient l'hydrothérapie et les soins par la musique.

Majesté et sobriété
Vue axiale dans la cour de la mosquée de Bayazid II, à Edirné: le dôme s'élève sur un corps de bâtiment cubique, encadré par les deux minarets qui confèrent sa parfaite symétrie à l'édifice. Les arcades qui font le tour de la cour et qui supportent les petites coupoles du portique sont larges, par rapport à la finesse des colonnes monolithiques.

La simplicité rehausse l'élégance
Les entrées latérales sur cour, à la mosquée de Bayazid II d'Edirné, donnent accès à la fontaine centrale destinée aux ablutions rituelles. Le linteau de la porte est traité en arc surbaissé à claveaux chantournés clairs et foncés (*ablak*).

dépassera pas les projets et esquisses. Puis, vers 1504, Michel-Ange est contacté – frais de voyage payés par le sultan auprès de la Banque Gondi de Florence – pour lui soumettre le même problème. Le pape Jules II s'opposera à sa venue à Istanbul.

L'œuvre de Bayazid II à Edirné est un vaste complexe mis en chantier en 1484 et terminé en 1488. Il comprend, dans une grande *külliyé,* ou fondation charitable, deux *madrasa,* une mosquée précédée d'une cour à portique, une école de médecine, un asile d'aliénés, une infirmerie-hôpital et un *imaret* ou cuisine populaire. L'ensemble se conforme à l'orientation de la mosquée. Celle-ci, de structure cubique, est couverte d'une coupole unique de 23 m de diamètre, reliée au plan carré par des pendentifs lisses soutenant un tambour à 20 pans, dans lequel s'ouvrent autant de fenêtres qui éclairent un espace dépouillé. Les murs sont percés de chaque côté de 14 baies d'éclairage qui donnent à l'espace sa transparence.

La mosquée elle-même est flanquée de deux *madrasa* carrées. Ces écoles coraniques forment une manière de structure transversale, dont la largeur est égale à la profondeur de l'édifice avec sa cour. À l'angle de ces collèges de théologie se dressent les deux minarets qui encadrent la composition.

Mais l'élément le plus satisfaisant du point de vue plastique est l'asile d'aliénés, dont la partie septentrionale montre une cour à portique asymétrique d'une grande

Unicité de l'espace sacré
La salle de prière de la mosquée de Bayazid II, achevée en 1488 à Edirné, se distingue par sa pureté spatiale : les parois ajourées – dont les multiples fenêtres diffusent une clarté égale – se dressent entre les grands pendentifs lisses qui établissent la liaison avec la base de la coupole unique mesurant 23 m de diamètre. Celle-ci s'élève sur un tambour percé de 20 baies. Au centre, le *mihrab* – flanqué, à gauche, de la *dikka* et, à droite, du *minbar* – organise l'espace rituel.

légèreté. Dans sa partie méridionale, ce corps de bâtiment long de 85 m présente une structure hexagonale à plan centré, avec un bassin thermal sous une coupole à lanterne. Cette construction, dont le dôme principal est entouré de douze petits dômes, instaure un langage et une modénature d'une extrême pureté, traités dans un appareil sobre et soigné.

Le plan général de la *külliyé* de Bayazid II à Edirné est encore irrégulier. Mais sa liberté même, à l'intérieur d'une commune orientation, fait l'intérêt de cette disposition. D'emblée, donc, Hayreddin réalise pour le sultan un complexe d'une grande homogénéité qui, s'il n'a pas la rigueur de la *külliyé* de Fatih à Istanbul, affirme l'épanouissement d'un classicisme ottoman.

Cette maturité du style, le même architecte va la confirmer encore avec la mosquée sultaniale de Bayazid II à Istanbul, construite à l'emplacement de l'ancien Forum Tauri de Théodose. Celle-ci, dont le chantier s'ouvre dès 1501, s'inspire ouvertement de Sainte-Sophie, bien qu'elle soit pour moitié moins grande (échelle 1:2 environ) : on constate la présence d'une coupole centrale, flanquée à l'entrée et au chevet par une demi-coupole. Cette salle de prière ne dépasse pas une surface interne de 40 m sur 40 m, soit 1600 m^2. Ces dimensions doivent être mises en regard de celles de Sainte-Sophie, dont l'espace interne atteint 5 600 m^2.

Une prodigieuse création plastique
Fondée sur un plan hexagonal, la partie de l'asile d'aliénés destinée aux traitements thermaux permet à l'architecte Hayreddin de donner toute la mesure de son sens des volumes et des masses. L'édifice à dôme central surmonté d'une élégante lanterne est ceint d'une série de douze petites coupoles. Les couvertures sont réalisées en feuilles de plomb sur charpente de bois. D'altières petites cheminées scandent les toitures.

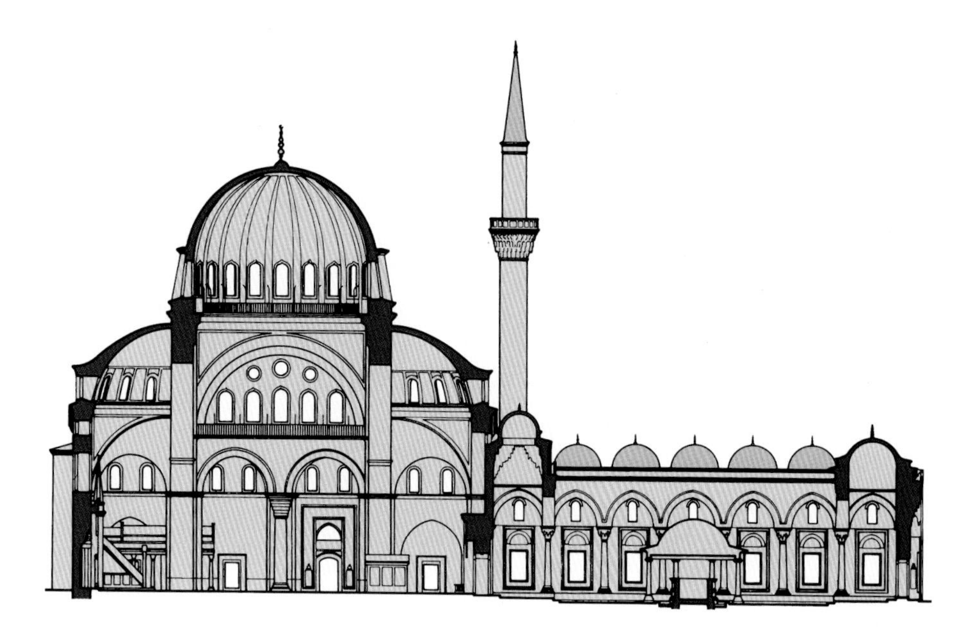

La fontaine aux ablutions
Au centre de la cour de la mosquée de Bayazid II à Istanbul se trouve le bassin rituel, couvert par un édicule supporté par huit colonnes qui semblent être des remplois d'antiques.

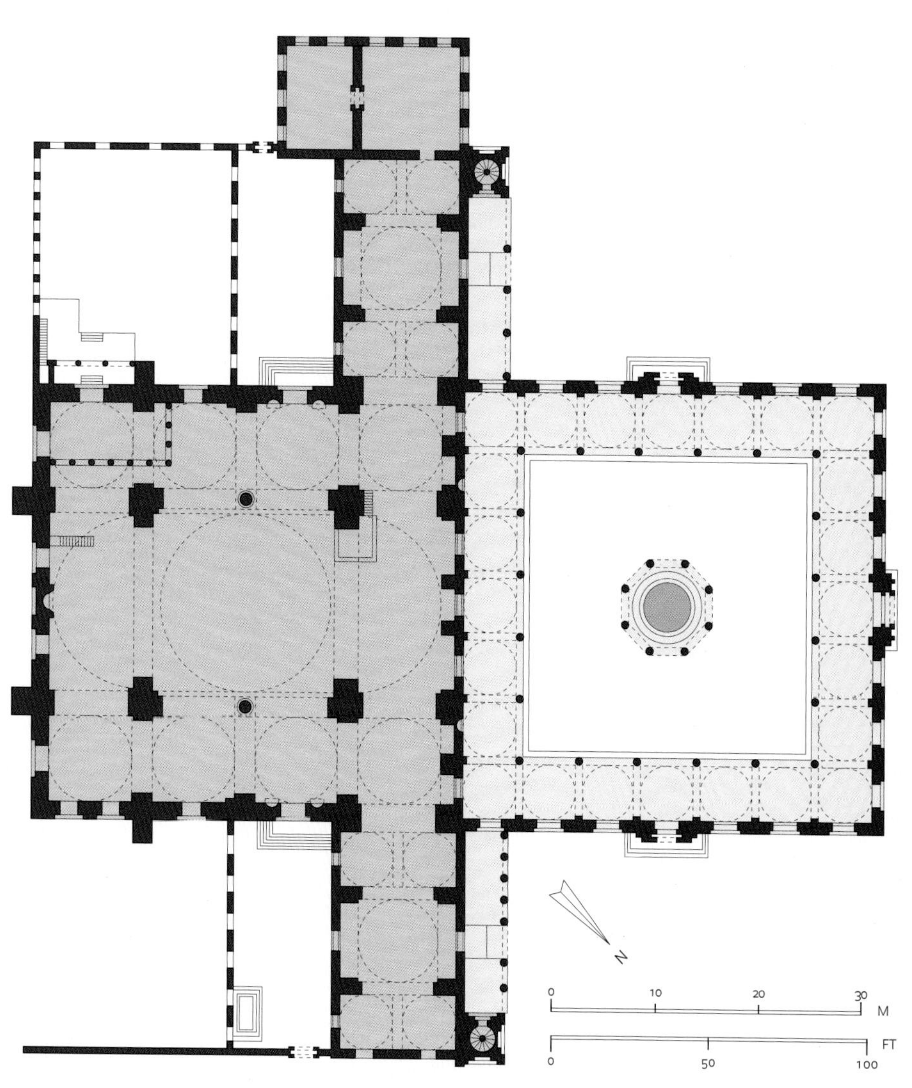

La mosquée de Bayazid II à Istanbul
Coupe longitudinale et plan de la Bayazid Djami d'Istanbul, construite par le sultan Bayazid II entre 1501 et 1506. La cour carrée (7 x 7 coupoles) répond exactement à la salle de prière. Celle-ci se compose d'une grande coupole centrale, contrebutée par deux demi-coupoles, avec des murs-tympans latéraux et des bas-côtés. L'architecte Hayreddin inaugure ici le débat relatif au paradigme de Sainte-Sophie – qui se poursuivra dans l'œuvre de Sinan. Il s'inspire de la formule inaugurée, un millénaire auparavant, par Anthémios de Tralles et Isidore de Milet pour la basilique byzantine.

Un festival d'arcs et de coupoles
Contre-plongée sur le système de voûtement de la mosquée de Bayazid II, à Istanbul, construite dès 1501. Au centre, la coupole principale, qui repose sur des pendentifs lisses, est flanquée latéralement de murs-tympans. À gauche en haut, la demi-coupole de contrebutement à laquelle répond un organe identique, invisible ici. En haut à droite, l'une des petites coupoles des bas-côtés. Ce parti général sera repris par Sinan – en plus vaste et plus complexe – pour l'espace de la Süleymaniyé.

La mosquée de Bayazid II, avec sa cour à portiques, couvre un espace de 84 m de long sur 42 m de large (deux carrés). Avec ses extensions latérales, déterminant un plan en T, elle s'étend sur 84 m de large. À Sainte-Sophie, la seule basilique et son *atrium* atteignent 140 m de long sur 74 m de large. Si les proportions diffèrent donc nettement, l'esprit atteste une volonté claire de reprendre les partis structuraux du modèle byzantin: dôme contrebuté par deux demi-coupoles, nef longitudinale bordée d'arcades supportant des murs-tympans percés de fenêtres multiples, liaison obtenue par des pendentifs, remploi de colonnes antiques (une seule de chaque côté chez Hayreddin, pour quatre à Sainte-Sophie). Désormais, la mosquée ottomane se réfère aux principes byzantins, quitte à traiter la modénature et les articulations de manière très différente.

Comparée aussi à la mosquée – originelle – de Fatih, dont sont repris les éléments, et en particulier les deux grandes colonnes sur les côtés du dôme principal et le système de contrebutement, la mosquée de Bayazid II est plus cohérente et cerne de plus près son modèle. Dans son ensemble, même si l'espace est un peu moins aérien qu'on ne le souhaiterait, l'exercice est pleinement satisfaisant. Cela est vrai aussi pour la cour carrée à portiques, bordée de sept dômes en largeur et autant en profondeur, dont les portes axiales correspondent au bassin à ablutions.

L'œuvre de Hayreddin met en œuvre la problématique qui sera celle de Sinan, et plus encore de Soliman, ainsi qu'on le verra en analysant les mobiles qui président au plan de la Süleymaniyé. Mais elle affirme déjà les développements qui seront ceux du maître architecte dans son débat avec la tradition byzantine, pour exprimer une conception originale de la mosquée turque.

Soliman et l'apogée ottoman

L'œuvre de Sinan au service du sultan

Page 113
Soliman le Magnifique
C'est sous ce nom que le plus glorieux souverain ottoman est connu en Occident. Coiffé d'un turban, le visage fin, le nez aquilin et la barbe sombre, le maître de la Sublime Porte apparaît tel sur une miniature du «Semail-Namé», peinte vers 1580 par Osman. (Bibliothèque du Musée de Top Kapi Saray, Istanbul)

Fils du terrible Sélim Ier (1512–1520) qui a battu le Shah de Perse, annexé le Kurdistan, vaincu les Mamelouks du Caire, rattaché l'Égypte et les Lieux saints de Médine et La Mecque à l'Empire, fait des sultans ottomans les chefs de la communauté musulmane portant le titre de calife, Soliman est un souverain de la Renaissance, dans la pleine acception du terme. Son règne (1520–1566) est le plus long de la dynastie ottomane. Il est émaillé de victoires et de hauts faits: 1521, prise de Belgrade; 1522, soumission de Rhodes enlevée aux Chevaliers Hospitaliers; 1526, victoire à la bataille de Mohacs, mettant la Hongrie dans l'orbite turque; 1534, prise de Tabriz et de Bagdad; 1541, annexion de la Hongrie; 1548, entrée dans la ville de Van, en Arménie, qui est enlevée aux Persans.

Deux échecs patents marquent son règne: en 1529, le siège de Vienne s'achève sans que la capitale, investie, soit tombée. Enfin, en 1565, la flotte turque tente de s'emparer de l'île de Malte, elle aussi aux mains des Hospitaliers, mais n'y parvient pas, malgré trois mois d'assauts et de blocus. Position stratégique en Méditerranée, Malte forme un verrou entre l'Empire ottoman et ses possessions sur les côtes de l'Algérie, tenues par le «pirate barbaresque» Khayr ed-Din, dit Barberousse.

Par ailleurs, trois crève-cœur marquent le destin de Soliman: la disgrâce de son vizir et «favori» Ibrahim, esclave grec d'origine chrétienne, exécuté au palais en 1536, le décès de l'héritier présomptif, le prince Mehmed, en 1543, et la mise à mort en 1553 de l'héritier du trône, son fils Mustafa, convaincu de trahison pendant la guerre contre Shah Tahmasp.

Un cadre historique prestigieux

Période brillante que celle du XVIe siècle: l'époque est aux grandes entreprises qui auront des conséquences planétaires. 1521 marque la rupture entre le pape et Luther, consommée par l'excommunication du réformateur; en 1522, l'équipage du portugais Magellan ramène un unique navire après la première circumnavigation autour du globe: le monde est, à l'évidence, fini, et l'Occident va s'en emparer. En 1521, les Conquistadores de Charles Quint font main basse sur l'empire des Aztèques; en 1532, l'empire des Incas tombe dans le domaine des Espagnols; désormais l'empereur règne sur un territoire sur lequel le soleil ne se couche jamais; inquiet, François Ier offre au sultan une alliance pour abattre Charles Quint; en 1537, l'affrontement entre la flotte d'Andrea Doria, au service de la Sérénissime République de Venise, et les corsaires ottomans, aboutit à la paix de 1540.

Le protocole de cour
Dans sa tente d'apparat, le sultan Soliman reçoit, dans le camp turc de Szigetvar, Jean Sigismond, prince de Transylvanie, qui se prosterne bien bas. La délégation hongroise assiste à la scène. Miniature (300 x 200 mm) de la chronique d'Ahmed Feridoun Pacha, dédiée en 1568 au grand vizir Sokullu. (Bibliothèque du Musée de Top Kapi Saray, Istanbul)

C'est aussi le temps où l'influence de l'art italien s'exerce jusque sur la cour ottomane, avec des artistes tels que Michel-Ange (1475–1564), Jules Romain (1499–1546), Vignole (1507–1573) et Palladio (1508–1580), dont on ressent, ici ou là, l'empreinte par des convergences troublantes, tant dans l'aspect des portiques et des files de dômes, dans les arcades ou les galeries, que dans la modénature et les éléments du vocabulaire ornemental.

Sur le plan artistique, précisément, le règne de Soliman est marqué par une extraordinaire floraison de monuments grandioses et parfaits. C'est le cas, en parti-

Chronique victorieuse
Une page du «Süleyman-Namé», achevé en 1558, représente l'assaut donné à une ville hongroise par les janissaires de Soliman, lequel supervise, en bas à droite, les opérations de siège. À gauche, des mineurs réalisent des sapes pour venir à bout des murailles adverses, alors que les troupes, armées de mousquets, font feu sur les défenseurs de la forteresse. (Bibliothèque du Musée de Top Kapi Saray, Istanbul)

culier, pour les œuvres qu'il fait réaliser par son architecte de Cour, le génial Sinan (1489–1588). Celui-ci, qui vécut durant près d'un siècle, ne construisit pas moins de 335 édifices ou complexes: 81 grandes mosquées, 50 salles de prière, 62 *madrasa,* 19 mausolées ou *türbé,* 17 caravansérails, 3 hôpitaux, 7 aqueducs, etc. C'est Sinan, en particulier, qui crée les mosquées sultaniales tant de Soliman à Istanbul que de Sélim II, son successeur, pour qui est édifié le chef-d'œuvre d'Edirné.

Outre son rôle de potentat éclairé, Soliman a laissé une œuvre immense dans le domaine juridique: il a unifié la législation de son empire, au point qu'au lieu de Soliman le Magnifique – nom qui lui est donné en Occident – il porte le titre de Soliman le Législateur (*Kanuni*) en terre d'Islam, à l'instar de Justinien, législateur du monde antique.

Des fortifications héritées de Justinien
Plan d'Istanbul aux XVIe–XVIIe siècles, indiquant l'emplacement des principaux monuments ottomans et le circuit des murailles terrestres et maritimes défendant la capitale turque.

Soliman supervisant son artillerie
Stratège moderne, le Sultan a très tôt conféré une importance capitale aux techniques militaires, et en particulier aux pièces d'artillerie. Il développe, avec l'aide de maîtres de forges occidentaux, une formidable puissance de feu. Détail d'une miniature du «Süleyman-Namé», figurant le siège d'une ville impériale. (Bibliothèque du Musée de Top Kapi Saray, Istanbul)

Transition artistique

Alors que Sélim Ier se préoccupait surtout de guerroyer aux frontières, parvenant à doubler, durant son règne, la surface de l'empire ottoman, son activité de constructeur fut limitée. C'est essentiellement à Soliman qu'on doit la mosquée à laquelle reste attaché le nom de Sélim Ier: le fils se soucie de la postérité, à Istanbul, d'un père glorieux et conquérant.

Les spécialistes ne s'accordent pas, à propos de la mosquée de Sélim Ier, dit le Cruel, sur le nom de l'architecte: pour d'aucuns, il s'agit du même bâtisseur, Hayreddin, qui érigea la mosquée du sultan Bayazid II à Istanbul: pour d'autres, l'auteur serait Adjem Ali, d'origine persane. L'édifice achevé en 1522 – au début du règne de Soliman – présente en réalité divers traits qui apparentent cette Sélimiyé Djami d'Istanbul aux œuvres de Hayreddin.

Il s'agit d'un bâtiment à coupole unique de 24,5 m de diamètre avec, à droite et à gauche, deux salles carrées cruciformes à neuf dômes formant *madrasa* et que précède une belle cour ceinte d'un portique comptant six dômes latéralement et sept transversalement, avec deux minarets soulignant l'articulation entre cour et façade. Certes, on retrouve là, trait pour trait, la mosquée de la *külliyé* de Bayazid II à Edirné, due à Hayreddin: car la cour compte également six unités latérales contre sept transversales, et deux minarets à l'articulation, ainsi que des *madrasa* cruciformes flanquant une salle unique. Comme la mosquée de Bayazid II à Istanbul, la Sélimiyé présente deux axes – longitudinal et transversal – de même longueur, l'ensemble s'inscrivant donc, ici et là, dans un carré.

Quoi qu'il en soit, la Sélimiyé d'Istanbul, bien qu'accomplie, ne renouvelle pas le langage architectural. Il faut attendre la rencontre entre Soliman et Sinan pour qu'éclate une conception entièrement neuve de la mosquée ottomane. Ce sera le cas, 20 ans plus tard, avec la Shézadé (ou Mosquée des Princes) construite dès 1543, par un architecte qui avait été jusque-là plus préoccupé de ponts, de forteresses et d'intendance que de bâtiments religieux.

En effet Sinan est recruté en 1512 comme *devshirmé*, ces jeunes gens d'origine chrétienne enrôlés dans les forces «spéciales», et qui forment les bataillons d'élite connus sous le nom de janissaires, attachés au corps de garde et à l'administration du sultan.

Le grand turquisant Franz Babinger, soulignant que Sinan est né dans un village nommé Agyrnas, n'hésite pas à écrire: «Le Michel-Ange des Ottomans est grec d'origine, ou plutôt arménien, de la région de Kayseri, en Cappadoce.» Il effectue

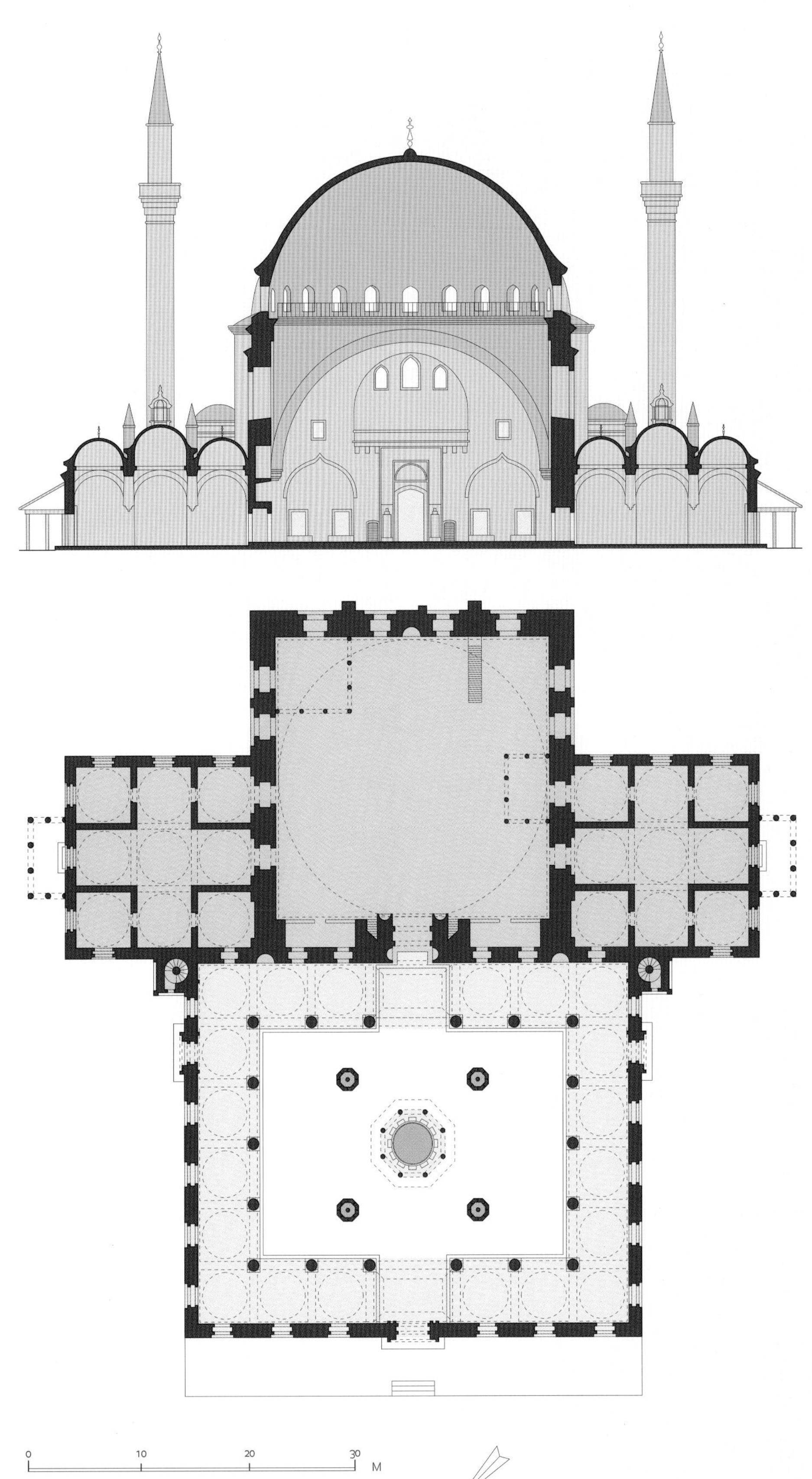

La mosquée de Sélim Ier
Par nombre d'aspects – colonnes du portique disposées sur l'axe transversal de la cour et *madrasa* cruciforme de part et d'autre de la salle de prière – la Sélimiyé d'Istanbul, qu'achève Soliman en 1522, après la mort de son père Sélim Ier, ne peut être que l'œuvre de Hayreddin, bien que souvent attribuée à un certain Adjem Ali, d'origine persane. Le plan et la coupe transversale de l'édifice, avec sa coupole de 24,5 m de diamètre, révèlent la même main que la mosquée de Bayazid II à Istanbul.

Premier chef-d'œuvre sinanien
Coupe longitudinale et plan de la Shézadé Djami, à Istanbul, construite en 1543 comme mosquée sultaniale de Soliman par l'architecte Sinan, alors âgé de 55 ans environ. L'édifice qui juxtapose deux quadrilatères couvrant une égale surface est régi par un plan centré. Au lieu du plan basilical de Sainte-Sophie, Sinan adopte une formule où la coupole centrale est contrebutée par quatre demi-coupoles. Par la suite, Soliman, décidant l'édification d'une nouvelle mosquée sultaniale (la Süleymaniyé), consacrera la Shézadé à la mémoire de son fils Mehmed, trop tôt disparu.

son apprentissage au sérail, chez Ibrahim Pacha. En 1536, il est chef du génie. Puis il fait partie des proches de Soliman qu'il accompagne dans ses déplacements. La même année, il construit une mosquée à Alep. La sultane Roxelane (Haseki Hürrem) fait appel à lui en 1537, pour édifier une *külliyé* à Istanbul. En 1539, il est nommé architecte en chef de la Cour. Il a une cinquantaine d'années déjà.

La Shézadé: première mosquée sultaniale

C'est réellement avec l'érection de la Shézadé que Sinan donne sa mesure: celle d'un concepteur génial et d'un technicien hors pair. Le nom de Shézadé – du persan Shah Zadeh qui désigne le prince héritier – a été donné, dit-on, à la première grande mosquée fondée par Soliman, en commémoration de son fils préféré, le prince Mehmed, qui était décédé à Manisa en 1543. L'historien Ernst Egli, auteur d'une biographie de Sinan, a judicieusement remarqué que l'édifice était déjà en construction depuis trois mois lorsque l'héritier présomptif disparut. Sa construc-

Une cascade de coupoles
En adoptant un plan centré pour la Shézadé, Sinan crée à Istanbul un édifice qui, pour l'essentiel, présente sur toutes ses faces un système de couverture identique. C'est donc une sorte de pyramide qui culmine avec le dôme principal. Ici, l'un des deux minarets – l'autre est caché – marque l'articulation avec la cour.

tion avait donc été décidée bien plus tôt, et les plans étaient élaborés depuis des mois, de même que l'aménagement de l'espace qui allait recevoir l'édifice, situé sur un terrain dominant la ville d'Istanbul, entre la mosquée de Bayazid II et la Fatih Djami.

Par son importance et sa situation, le bâtiment qui s'inscrit sur une esplanade de 185 m de long sur 120 m de large, et mesure 90 m sur 50 m (près d'un demi-hectare) ne paraît guère se limiter au rôle de monument commémoratif, fût-ce d'un prince héritier. La Shézadé est comparable, par ses dimensions, à la Mosquée de Fatih, laquelle demeura longtemps, avec 96 m sur 56 m, le plus vaste bâtiment ottoman d'Istanbul. Elle semble bien plutôt conçue comme première mosquée sultaniale de Soliman.

C'est une création d'une importance considérable, dans laquelle Sinan lui-même voyait son chef-d'œuvre: la Shézadé, en effet, lui valut son titre de «maître» en architecture (*mimar*). Cependant, il est probable que peu avant l'achèvement de cet édifice, le sultan – pour des raisons de prestige et de signification emblématique sur lesquelles on reviendra – décida, vers 1547–1548, l'édification d'une nouvelle mosquée sultaniale: ce sera la Süleymaniyé, mise en chantier deux ans plus tard.

Dès lors, il fallut trouver une affectation au superbe édifice qui était à peine achevé: le sultan le consacra à la mémoire de son fils trop tôt disparu. L'ouvrage restait ainsi un symbole manifeste du pouvoir absolu de Soliman. Il pouvait même se prêter – pendant la construction de la Süleymaniyé – aux fastes des cérémonies religieuses attachées à la personne du sultan, lequel assumait aussi le rôle de calife.

La conception de la Shézadé découle une nouvelle fois de la confrontation entre l'architecture ottomane et le paradigme byzantin de Sainte-Sophie à Istanbul. Deux expériences constituaient des précédents: d'une part, la formule mise en œuvre par Hayreddin pour la mosquée de Bayazid II à Istanbul – reprenant la partie de la coupole contrebutée par deux demi-coupoles, situées à l'entrée et au chevet, ce qui crée une nef longitudinale – et d'autre part, celle utilisée par Atik Sinan pour la Fatih Djami – supprimant la demi-coupole antérieure pour obtenir un édifice barlong.

La solution adoptée par Sinan consista à contrebuter la coupole centrale de 19 m de diamètre (percée de 24 fenêtres) en la flanquant sur ses quatre côtés par des demi-coupoles, munies chacune de neuf baies. L'architecte de Soliman obtenait ainsi un plan centré et tréflé. Le carré central, soutenu par de grands arcs reliés au cercle du dôme par des pendentifs lisses, repose sur quatre forts piliers. Quant aux demi-coupoles formant les «absides», elles sont flanquées d'une paire de trompes disposées à 45°. Aux quatre angles, de petites coupoles complètent le dispositif sur ses diagonales. Enfin des galeries latérales forment saillie sur les côtés, où de fines colonnettes supportent les arcs des portiques ouverts.

Une série de structures visibles
Pour souligner le caractère légèrement barlong de la salle de prière – conforme à la plus ancienne tradition musulmane – l'architecte dispose, de part et d'autre, d'élégantes galeries. Enfin, sur les diagonales entre le dôme central et les angles, des piles, en forme de tours cylindriques, assurent le contrebutement.

Une cour carrée
Les grandes arcades qui forment les portiques à 5 x 5 coupoles de la Shézadé, à Istanbul, sont d'une rare élégance, que met en valeur la finesse des colonnes monolithiques. La fontaine à ablutions comporte un édicule sur huit colonnes, comme à la Bayazid Djami d'Istanbul.

Il en résulte une salle carrée, unitaire et homogène. Vu de l'extérieur, l'édifice présente, à partir du dôme central, une «cascade» de coupoles. Sur la face nord-ouest, celles-ci viennent fusionner avec les portiques de la cour, laquelle, également carrée, compte cinq petites coupoles sur chacun de ses côtés. Ainsi, au volume pyramidant que constitue la masse de la salle de prière répond l'espace «en creux» du portique pourtournant qui forme l'entrée de l'édifice, autour du bassin aux ablutions.

La formule sinanienne est parfaite: l'architecte obtient une salle qui, avec ses aménagements (*dikka* et *minbar*), paraît plus large que profonde; elle répond donc bien aux usages islamiques. D'autre part, l'édifice crée une équivalence entre cour et salle de prière, à la jonction desquelles se dressent deux minarets marquant l'articulation. Sur le plan statique, elle souligne à la perfection une répartition harmonieuse des poussées, aucun côté ne différant de l'autre, ce qui aurait créé un déséquilibre. Plus de murs-tympans, plus de colonnes – fussent-elles de remploi –, plus aucun élément hétérogène dans ce monument où tout se conjugue pour produire une atmosphère aérienne et lumineuse. Cette clarté, à laquelle contribuent des dizaines de baies qui laissent amplement pénétrer le jour, contraste ainsi avec la pénombre qui règne dans Sainte-Sophie. Sans hésitation, il faut reconnaître à la Shézadé une autorité toute «impériale»: c'est, à n'en pas douter, une mosquée sultaniale qui s'affirme, jusque dans le moindre détail, comme une réussite exceptionnelle.

Une structure tréflée
La contre-plongée sur la couverture de la Shézadé de Sinan montre la formule à quatre demi-coupoles contrebutant le dôme central pour former une structure aussi efficace qu'unitaire.

Un espace transparent
L'admirable organisation qui régit le système de couverture à double symétrie axiale de la Shézadé d'Istanbul révèle la maîtrise de l'architecte Sinan dans cette première mosquée sultaniale de Soliman. Bien que la coupole centrale n'excède pas 19 m de diamètre avec sa clé à 38 m au-dessus du pavement, l'édifice possède une élégance et une légèreté remarquables. On comparera avec la Mosquée Bleue (pages 200–201), créée une soixantaine d'années plus tard et fondée sur le même plan: ses lourdes piles cylindriques n'ont nullement l'élégance des supports à façettes de la création sinanienne.

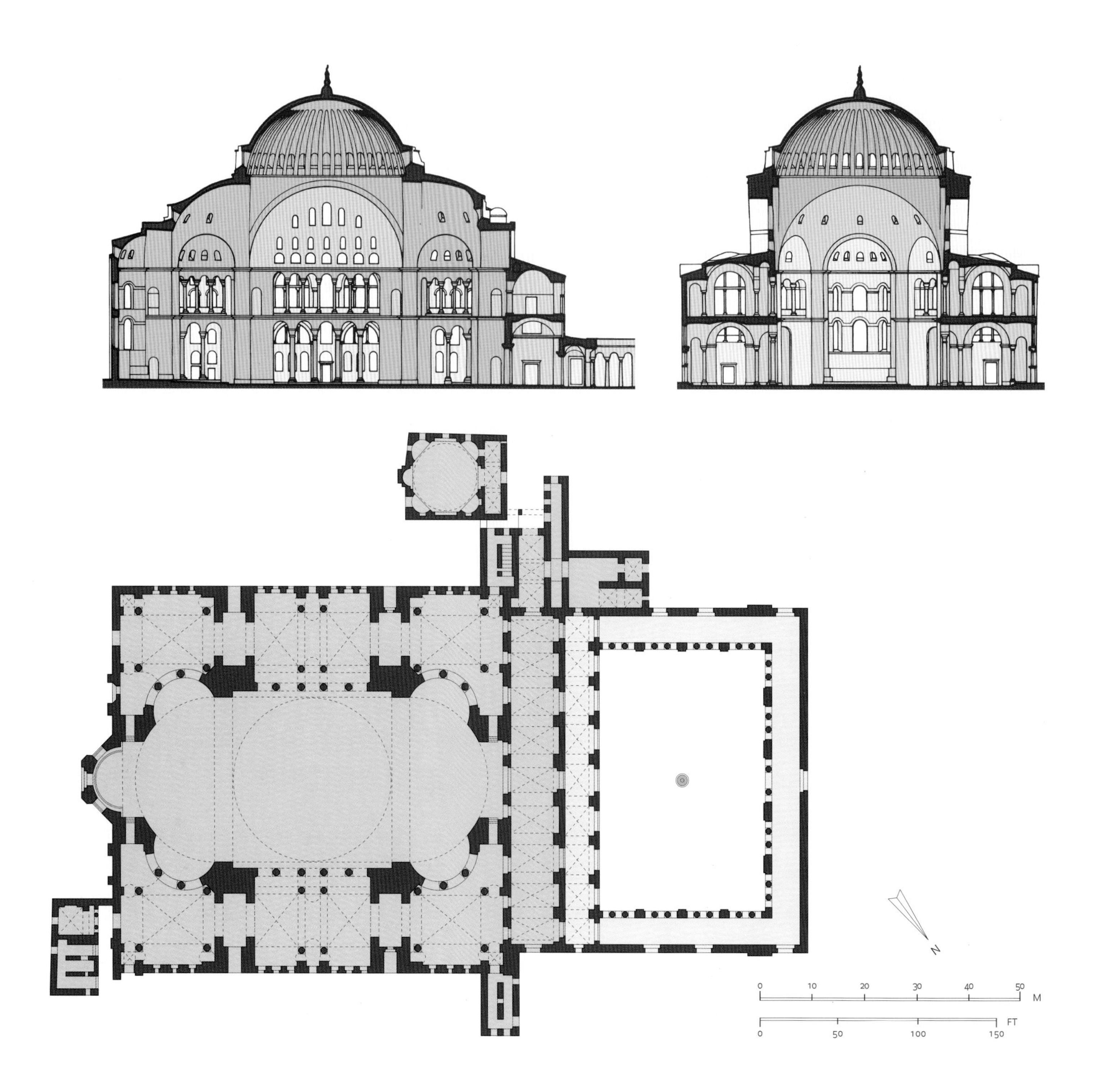

La Süleymaniyé et son «modèle» byzantin

Le chantier de la Süleymaniyé est ouvert le 15 juin 1550, sur un site qu'occupait jadis le Capitole byzantin, puis qu'avaient remplacé les bâtiments du Vieux Sérail, détruits par un incendie en 1541. Le site forme une avancée dominant la Corne d'Or et couvre, avec sa *külliyé,* une surface de 350 m sur 280 m, soit plus de 8 ha, en tenant compte de sa forme irrégulière, à laquelle l'architecte devra d'ailleurs adapter la disposition des *madrasa* et bâtiments annexes.

La mosquée sultaniale elle-même mesure 108 m de long pour 73 m de large, et sa coupole culmine à 54 m. Elle prend place dans un *temenos* de 216 m sur 144 m, incluant le jardin-cimetière et ses *türbé.*

Il est exact que, pour la Süleymaniyé, Sinan s'est conformé au plan de la vénérable basilique: il en a repris le parti spatial, avec son dôme central contrebuté longitudinalement par deux demi-coupoles, et latéralement par des bas-côtés derrière les

Le paradigme éminent
Coupe longitudinale, coupe transversale et plan de la basilique Sainte-Sophie, à Istanbul. L'œuvre, édifiée en 532, sous le règne de Justinien, par les architectes Anthémios de Tralles et Isidore de Milet, constitue une réalisation grandiose et unique qui marque aussi bien l'aboutissement des techniques romaines que l'apogée de l'art byzantin.

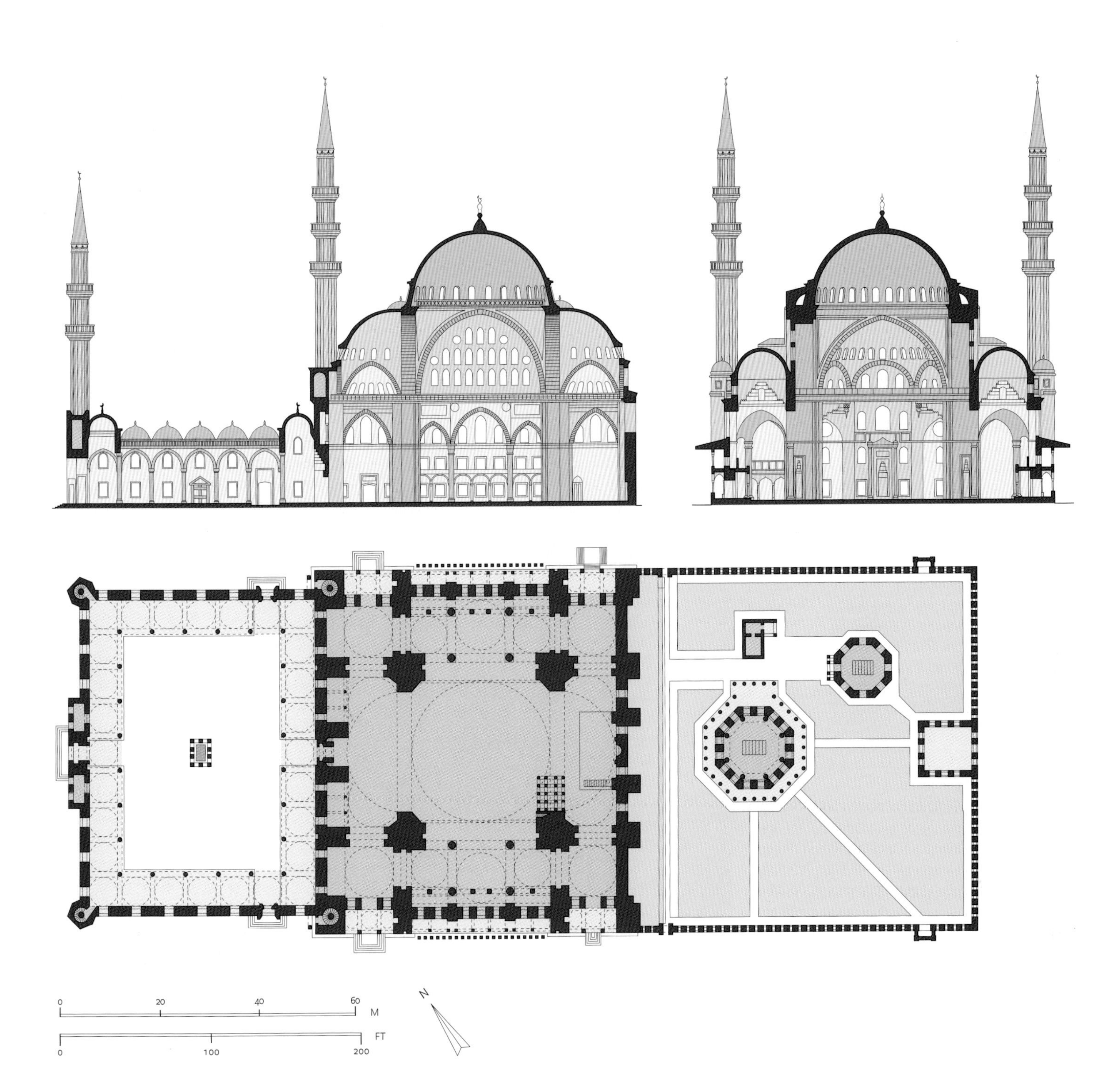

Une «interprétation» admirable
Coupe longitudinale, coupe transversale et plan de la mosquée sultaniale de Soliman, ou Süleymaniyé, à Istanbul, construite de 1550–1557 et due à l'architecte Sinan. Si le parti général permet de constater de profondes analogies avec la basilique byzantine, les solutions auxquelles recourt Sinan transfigurent pourtant l'aspect de la Süleymaniyé.

arcades qui soutiennent les murs-tympans. Ces bas-côtés, dans l'édifice de Justinien, étaient couverts de voûtes en croisées d'arêtes, avec galerie à l'étage, alors que Sinan opte pour des coupoles et supprime radicalement l'étage pour alléger la structure spatiale. Les deux édifices présentent une cour – il s'agit d'une part de l'*atrium* byzantin (qui a disparu), et de l'autre d'un portique pourtournant ottoman comptant sept coupoles sur neuf, pour créer, ici comme là, un espace ouvert de plan barlong.

Les dimensions sont généralement analogues, bien que la mosquée de Soliman ne dépasse jamais Sainte-Sophie. Cela montre bien qu'il ne s'agissait pas pour Sinan de surpasser l'œuvre byzantine, ce dont il aurait été capable, ainsi qu'il le prouvera avec la Sélimiyé d'Edirné. En effet, quelques chiffres, mettant en parallèle les deux bâtiments, permettent de constater qu'il ne s'agissait pas d'un défi, ainsi qu'on l'a cru trop souvent.

Une symphonie de coupoles
La vue transversale en contre-plongée dans l'espace interne de la mosquée du sultan Soliman, ou Süleymaniyé Djami, construite de 1550–1557 à Istanbul révèle la virtuosité de Sinan : la coupole principale de 27 m de diamètre, pourvue de 32 baies disposées à la base du dôme, culmine à 54 m au-dessus du pavement. Par l'entremise de quatre pendentifs, elle s'appuie latéralement sur deux grands arcs qui surmontent les murs-tympans, percés d'une multitude de fenêtres. À gauche et à droite, les colonnes de granit qui supportent le tympan. En haut, une petite coupole de contrebutement, avec ses *mukarna* d'angles.

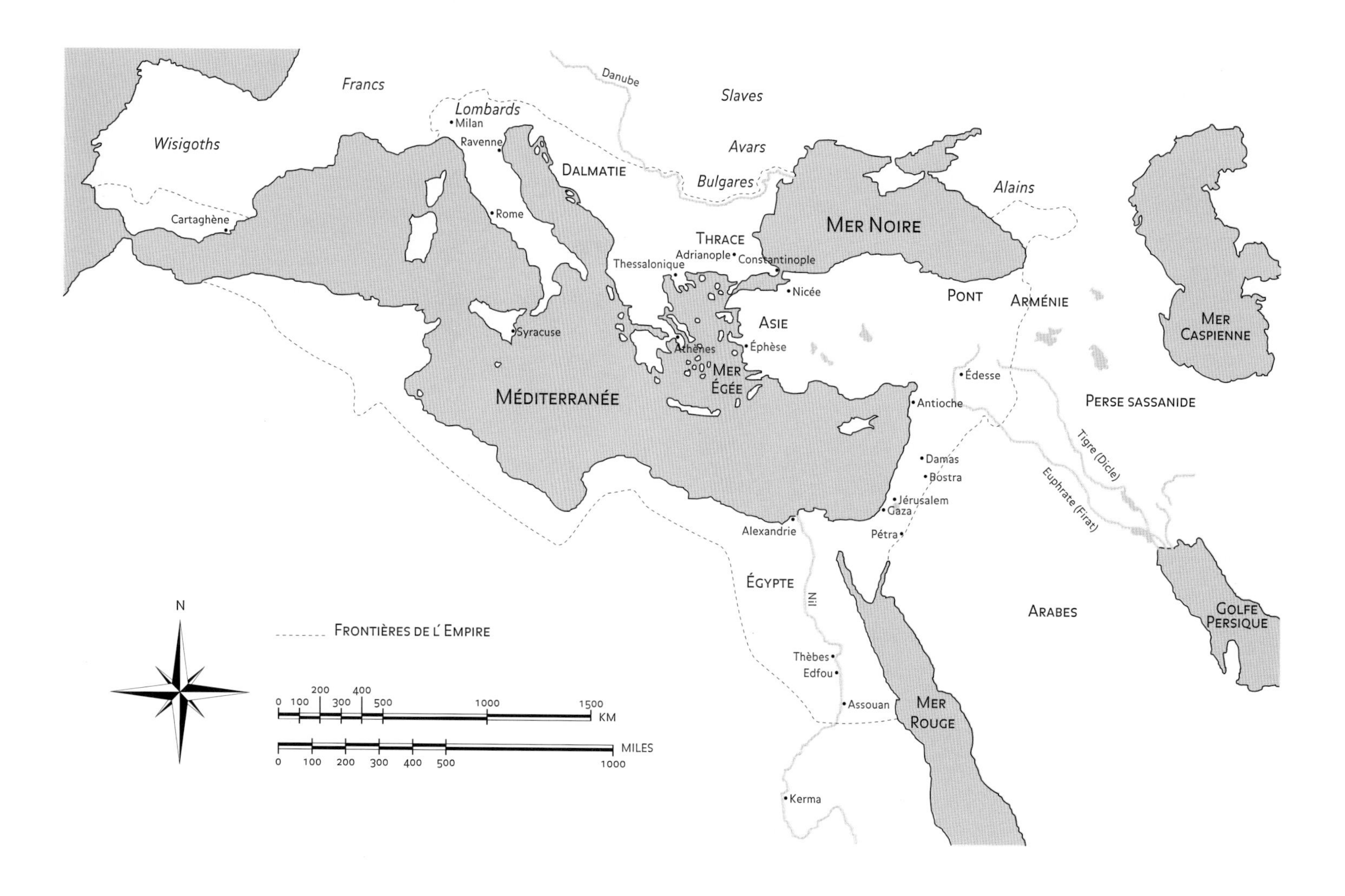

Surface construite: 140 m sur 72 m contre 108 m sur 73 m; longueur de la nef: 85 m contre 65 m; diamètre de la coupole: 31 m contre 27 m; hauteur sur le pavement: 56 m contre 54 m; espace ouvert de la cour: 48 m sur 33 m contre 46 m sur 32 m. Si les organes offrent des similitudes profondes, le parti de Sinan diffère pourtant considérablement de son «modèle». Ainsi la solution latérale est complexe à Sainte-Sophie, avec deux niveaux de bas-côtés superposés (12 m de hauteur au rez-de-chaussée, 10 m à l'étage), et une véritable «forêt» de colonnes (huit de chaque côté) qui créent un «rideau» optique, accentuant l'effet de nef longitudinale. Sinan, en revanche, privilégiant un espace en largeur, favorise l'extension latérale qui est à peine troublée par deux paires de fûts et des bas-côtés d'une seule venue culminant à 30 m de haut.

Dans l'édifice byzantin, toutes les surfaces des *intrados* de coupoles et de voûtes forment une continuité sans aspérité, unifiant l'espace, alors qu'à la Süleymaniyé, Sinan souligne par des arêtes vives les différents organes architecturaux. À Sainte-Sophie, les trompes qui prolongent à 45° les absides sont soutenues par des arcs et des colonnes, alors que chez Sinan, l'absence de supports intermédiaires ménage une plus étroite fusion entre la nef et les bas-côtés. Ajoutons qu'entre l'atmosphère obscure et mystérieuse de l'église et la clarté cristalline de la mosquée, la différence d'esprit est profondément contrastée. On le voit, le traitement sinanien du plan conçu en 532 par les architectes Anthémios de Tralles et Isidore de Milet en transfigure profondément l'aspect.

Un exemple qui hante Soliman
Carte de l'Empire byzantin au temps de Justinien (VIe siècle). Le domaine du *basileus* s'étend de la Perse à l'Espagne méridionale et fait de la Méditerranée un lac chrétien. La politique de Soliman consistera à tenter de reconstituer sous son autorité cet immense territoire.

Le rôle emblématique d'une mosquée

Par sa décision de créer une nouvelle mosquée capable d'exalter son règne, Soliman, âgé de 56 ans, bouleverse le développement des recherches entreprises par Sinan à partir de Sainte-Sophie pour s'approprier les formules byzantines en les renouvelant. En effet, la Shézadé avait montré que l'architecte savait puiser un enseignement dans le passé de la millénaire basilique justinienne, mais qu'il parvenait aussi à s'affranchir de la tyrannie de ce modèle dont l'image allait hanter l'architecture ottomane. Avec la Shézadé, Sinan a déjà dépassé la soumission au paradigme pour transfigurer le concept, tant sur le plan de la logique constructive – par le recours à quatre demi-coupoles créant un plan centré –, que sur celui de la qualité de l'espace et de la lumière – grâce à une profonde modification de la modénature et de l'éclairage. Et subitement, le sultan lui demande de réaliser, à une échelle analogue au prototype byzantin, un édifice se conformant au plan de Sainte-Sophie, avec nef basilicale, murs-tympans soutenus par des colonnes – remplois d'antiques – et contrebutement latéral par des bas-côtés. Indiscutablement, c'est, pour Sinan, un retour en arrière. Le nouveau projet contredit tant les recherches de la Shézadé que des édifices postérieurs – Mihrimah Djami et Sokullu Djami d'Istanbul ou Sélimiyé d'Edirné, lesquels poursuivent tous une évolution bien différente. Quels motifs sont à l'origine de ce parti surprenant du sultan?

Au faîte de sa puissance, Soliman qui règne sur un immense empire, comparable à bien des égards à celui de Justinien, dix siècles auparavant, prend conscience qu'il existe une filiation du pouvoir entre le maître de Byzance et celui d'Istanbul. Le sultan ne peut que bénéficier d'une continuité sémiologique que soulignera sa mosquée, en se plaçant dans le prolongement du parti adopté par son illustre prédécesseur.

Un sens éminent de l'image urbaine
Dominant le Bosphore et la Corne d'Or, la haute silhouette de la Süleymaniyé, avec ses quatre minarets élancés et son dôme altier, confère à Istanbul son aspect caractéristique. Sinan y modèle avec autorité le paysage de la capitale.

Un parallèle révélateur
La contre-plongée transversale dans la Süleymaniyé, montrant les deux demi-coupoles contrebutant le dôme central de la mosquée, permet de saisir les analogies avec la couverture de Sainte-Sophie (en bas), photographiée selon le même angle. Au lieu des formes fluides de la basilique byzantine, Sinan choisit de souligner les organes architecturaux.

La Süleymaniyé et son prototype
Vue longitudinale dans l'espace basilical de la Süleymaniyé, avec les murs-tympans latéraux, percés d'une foule de baies, et son modèle à Sainte-Sophie (en bas). Là où cette dernière crée des galeries à arcades latérales, Sinan ouvre largement de grands arcs qui permettent de ménager une continuité spatiale transversale (que l'on entrevoit ici aux angles inférieurs de l'image).

Aussi la Süleymaniyé est-elle conçue par Soliman comme un *analogon* de Sainte-Sophie. Cette «renaissance» du vénérable sanctuaire, que va transfigurer Sinan, est un retour aux sources romano-byzantines. Le bâtiment doit montrer, de manière emblématique, que le sultan s'inscrit dans une tradition impériale, tout en exaltant l'art ottoman.

Cette préoccupation qui, en définitive, traduit un souci de légitimité – on souligne une filiation par une généalogie mythique entre Justinien et Soliman – repose aussi sur la conscience d'un symbolisme profond. En effet, durant le Moyen Âge, il existait une certitude: l'œuvre de Justinien, en l'espèce la basilique de Sainte-Sophie, représentait un *analogon* du Temple de Jérusalem, bâti par Salomon. Or, toujours dans la tradition des «peuples du Livre», Soliman (Süleyman) n'est autre que l'équivalent musulman du nom de Salomon, dont le sultan ottoman assumait ainsi l'héritage spirituel.

La lecture architecturale de la Süleymaniyé apporte maintes confirmations de cette interprétation du bâtiment. Ainsi, outre la référence explicite au plan de la basilique, elle-même chargée d'un symbolisme qui en fait le prototype du Temple, la référence à Salomon – archétype du souverain à pouvoir impérial tel que l'a réhabilité le Coran –, confère au sultan la légitimité d'un pouvoir divin.

C'est à propos des colonnes qui supportent les murs-tympans du carré central de la Süleymaniyé qu'apparaît la volonté de Soliman d'ancrer matériellement son sanctuaire dans le passé. En recourant à des colonnes antiques, le sultan se réfère à une tradition éminente par les allusions que constituent ces remplois, utilisés comme des «citations» d'auteurs classiques dans un texte.

Les colonnes romano-byzantines sont l'objet, à Byzance d'abord, puis à Istanbul, d'une véritable mythologie. Les légendes attachées à ces magnifiques fûts de granit rose d'Assouan, qualifié aussi de porphyre – la pierre impériale par excellence –, placent les éléments antiques dans une perspective purement mythique. Leur origine faisait l'objet de spéculations toutes plus extraordinaires les unes que les autres. L'historien Gilbert Dagron, dans son étude sur le recueil des «Patria», intitulée «Constantinople imaginaire», relate les récits de la construction de Sainte-Sophie et cite les «fables» relatives à l'origine des huit colonnes «romaines» qui provenaient, dit-on, du temple d'Aurélien à Rome.

Ernest Mamboury mentionne une série de sources qui ont trait aussi aux quatre colonnes du carré central de la Süleymaniyé: l'une était connue comme la Colonne de la Virginité, érigée près de l'Église des Saints-Apôtres, la seconde provenait, semble-t-il, des palais impériaux, et avait soutenu une statue de l'empereur; quant aux deux autres, elles furent envoyées d'Alexandrette (Iskenderun).

Mais d'autres légendes – tant byzantines qu'ottomanes – enrichissent encore la signification de ces fûts antiques. Selon certains auteurs, il s'agissait des colonnes du temple impérial d'Hadrien consacré à Zeus à Cyzique (aujourd'hui Aydinik), qui passait pour la huitième merveille du monde. D'autres y voyaient des reliques provenant du Trône de Salomon, ou des cités de Ctésiphon et de Harran, patrie d'Abraham, voire d'Alexandrie ou de Baalbek, etc. Bref, la référence au passé constituait une garantie de légitimité à travers un héritage visible.

C'est donc bien dans un but emblématique que Soliman a décidé la construction de cette seconde mosquée sultaniale qui devait éclipser, par son message sémiologique, la première, la Shézadé, où Sinan avait donné toute sa mesure, mais sans y intégrer les leçons d'une filiation impériale dont Soliman voulait pouvoir se parer, face à l'autre empereur – Charles Quint – dont il contestait la légitimité.

On le voit, l'histoire de l'architecture ne peut se borner au constat technologique, ni à l'étude «entomologique» des plans. Elle a pour mission de déchiffrer le message dont les maîtres d'œuvre dotent leurs créations.

Chapiteaux à *mukarna*
Les grandes colonnes de granit rose et de porphyre qui supportent le carré central de la Süleymaniyé sont pouvues de chapiteaux à stalactites et de bagues de bronze doré pour assurer leur cohésion en raison de l'énorme pression à laquelle ils sont soumis.

Page 135
Les fûts mythiques de la Süleymaniyé
Entre le carré central et les bas-côtés de la mosquée de Soliman, les colonnes monolithiques de granit rose et de porphyre sont des remplois d'éléments antiques, auxquels le sultan accordait une signification emblématique, pour exprimer la continuité impériale. En disposant à la base de sa mosquée ces organes essentiels, empruntés au monde romano-byzantin, le sultan revendiquait le prestigieux héritage de Justinien.

La «lecture» de l'architecture

Une mosquée sereine et lumineuse
Perspective sur l'espace interne de la Süleymaniyé d'Istanbul en direction du *mihrab*: l'admirable épanouissement que révèle l'édifice, vu de la loge sultaniale, transfigure, par la lumière omniprésente, les structures qui, à Sainte-Sophie, étaient baignées dans une mystérieuse obscurité.

Aux yeux de la plupart des historiens de l'art, formés aux disciplines de la philologie, voire de l'École des Chartes, il ne saurait y avoir d'interprétation de l'architecture autre que celle fondée sur les textes. Cette conception étroite aboutit à un non-sens, les textes écrits à propos d'un édifice étant considérés comme une source plus importante que l'édifice lui-même. En réalité, l'architecture est un langage, avec son vocabulaire propre, ses règles et sa syntaxe. L'interprétation d'un édifice ne peut se faire qu'à partir de la «lecture» du plan, et surtout de la confrontation avec le bâtiment, de même que l'archéologie ne peut aboutir à des résultats qu'en étudiant le terrain dans les plus infimes détails.

Ceux qui considèrent que la «source» majeure réside dans les textes négligent l'œuvre, faute de savoir la «lire», au profit des commentaires. Dès lors, ils estiment suspecte toute démarche reposant sur une «lecture» de l'objet architectural et la qualifient de simple «intuition». Ce point de vue, largement répandu, montre clairement l'insuffisance d'une méthode historique exclusivement tributaire de l'écrit. Il faut souligner, au contraire, que la compréhension du plan ou de l'élévation, que la perception spatiale, que l'analyse des formes dans leurs relations avec des monuments plus anciens ou plus récents constituent la seule vraie source, immédiatement perceptible, directe, fondée sur le langage spécifique du bâti, et non sur les écrits qui s'en font l'écho. Cette «lecture» de l'édifice préside à toute réévaluation d'une œuvre. Elle permet d'émettre des hypothèses étayées sur le bâtiment lui-même, de discerner les mobiles qui sous-tendent l'œuvre. Elle révèle une signification plus riche que la simple matérialité de l'objet ... quitte à ce qu'une telle interprétation puisse recevoir, par la suite, de la part des philologues, une confirmation puisée dans les textes. Ceux-ci sont alors appelés à conforter la compréhension du bâti à travers les documents historiques ou les traditions consignées à propos du monument étudié.

Dans le cas de la Süleymaniyé, la réévaluation de son «sens», de sa signification profonde – ainsi qu'on l'expose ici même – se fonde sur une relecture complète de l'édifice, replacé dans son contexte. À la suite de divers exposés et publications consacrés à Sinan et à Soliman, notre hypothèse, énoncée dès 1985, a trouvé, chez un turquisant comme Stéphane Yérasimos, une confirmation étayée par de nombreux textes ottomans. Ces documents montrent l'exactitude d'une telle approche, laquelle dépasse la simple «intuition»: elle constitue la démarche propre à l'historien de l'architecture.

Un harmonieux jeu de forces
Vue du haut du minaret méridional de la mosquée, le dôme principal, avec son tambour percé de fenêtres et ses arcs-boutants, révèle la savante «mécanique» architecturale conçue par Sinan pour la Süleymaniyé. On notera en particulier les puissantes piles d'angles octogonales à dômes côtelés qui contrebutent les poussées de la coupole.

Caractères de la Süleymaniyé

Par rapport à Sainte-Sophie, l'aspect de la Süleymaniyé diffère à bien des égards. Certes, il ne faut pas comparer l'œuvre de Sinan à la basilique byzantine sans restituer certains aspects de cette dernière. Ainsi la cour, ou *atrium,* aujourd'hui disparue, jouait un rôle déterminant dans l'équilibre du bâtiment. Et les minarets – hétéroclites – ajoutés par les musulmans, modifient profondément l'aspect extérieur d'un édifice qui devait être jugé sur son espace interne plutôt que sur sa silhouette. Celle-ci est, somme toute, écrasée et inesthétique, avec une coupole trop peu saillante, et des voûtements formant un amoncellement relativement informe.

À l'opposé, la masse de la Süleymaniyé, dont la coupole centrale, hémisphérique est altière, confère à la mosquée une plus grande légèreté, encore accentuée par les quatre minarets qui soulignent les angles de la cour, inscrivant dans le ciel un espace «vide» propre à équilibrer le volume «plein» de la salle de prière. L'élégance de ces minarets, culminant respectivement à 63 m et 81 m, avec leur fût polygonal extrêmement fin, scandé par des galeries que supportent des rangées de stalactites, atteste la maîtrise de Sinan.

Décor du portique sur cour
Les arcades aériennes qui bordent la cour de la Süleymaniyé reposent sur des colonnes monolithiques pourvues de beaux chapiteaux à stalactites, dont le dessin évoque une création cristalline.

À gauche
Une glorieuse autorité
Devant la salle de prière, avec son étagement de dômes, la cour de la Süleymaniyé s'ouvre largement entre les deux minarets à trois galeries qui culminent à 81 m.

En règle générale, l'architecte de Soliman préfère, à l'arc en plein cintre qui caractérise le style byzantin, des arcs légèrement brisés qui allègent, en leur donnant une tension perceptibe, l'aspect du bâtiment. C'est le cas tant pour les grands arcs intérieurs supportant la coupole que pour les portiques bordant la cour. Cette recherche d'allègement se retrouve avec le recours aux stalactites dans les angles de la construction, à la base des voûtes, au sommet des colonnes et avec les chapiteaux géométriques que recouvrent de véritables *mukarna*.

Et si de multiples interférences avec l'architecture de la Renaissance italienne apparaissent dans la modénature de la Süleymaniyé, en particulier dans le profil en doucine des encadrements, dans les écoinçons des arcades, où s'inscrit un disque de porphyre, et dans la base moulurée des colonnes sur cour, où l'on discerne le recours à des tores et des scoties à l'antique, le vocabulaire plastique n'en reste pas moins original. Ainsi les moulurations qui bordent horizontalement le couronnement des murs peuvent-elles se muer en baguettes verticales qui soulignent la continuité d'un niveau à l'autre – solution que n'aurait jamais admise la modénature antique. Enfin, chez Sinan, il existe un souci constant de sincérité : le matériau des murs est toujours apparent. Mieux, il est exalté dans sa pureté et sa sobriété. L'appareil, visible même à l'intérieur de la salle de prière, est l'objet d'un soin tout particulier. Les assises, à peine visibles, l'homogénéité du calcaire clair, dans lequel le relief est travaillé comme dans un monolithe, donnent à l'ouvrage une netteté d'épure – qui contraste évidemment avec les revêtements polychromes et les mosaïques qui occultent partout le mur dans la basilique Sainte-Sophie.

Page 139
À l'image d'un *atrium*
La cour de la Süleymaniyé, ceinte de 9 x 7 coupoles, oppose son espace ouvert à l'élancement du minaret nord-est, à deux galeries, qui atteint une hauteur de 63 m. Comme dans la formule originelle de Sainte-Sophie, la cour accuse un plan nettement barlong.

Une vaste *külliyé*

À l'extérieur du *temenos* qui inclut les *türbé* de Soliman et de Roxelane, son épouse, l'aire que recouvre la création de Sinan pour le sultan comporte les divers bâtiments de la *külliyé*. Celle-ci, pour tenir compte de la déclivité d'un terrain en forme de losange irrégulier, dans lequel la mosquée impose une stricte orientation, ne présente pas un tracé symétrique comme l'était l'ensemble de la Fatih Djami. Certes, les édifices sont tous disposés selon une ordonnance orthogonale (à l'exception des bains, ou *hammam*), mais ils n'obéissent pas à une disposition axiale. Contemplé du haut d'un minaret de la Süleymaniyé, leur ensemble forme un véritable moutonnement de dômes qui enserrent des cours. Ce sont, à l'Est et à l'Ouest, les cinq *madrasa,* ou écoles coraniques, et au Nord, un hôpital-dispensaire, un *imaret,* ou cuisine populaire et une librairie-bibliothèque. Ces édifices bas disposent en général d'une cour centrale à portique pourtournant que bordent des salles à files de coupoles ou des cellules individuelles.

Se mariant avec la végétation des grands arbres et des pelouses entourant la mosquée, l'ensemble de la Süleymaniyé représente incontestablement une réussite architecturale éblouissante. Quel que soit son «message» sémiologique, l'œuvre de Sinan pour Soliman donne la mesure d'un architecte prodigieusement doué. L'étroite collaboration de ce dernier avec le sultan et la confiance que lui renouvela sans cesse le maître d'œuvre permirent l'éclosion de ce somptueux ensemble, qui n'a guère son équivalent en Occident à la même époque. En effet, rares sont les entreprises d'une envergure analogue qu'un seul artiste de la Renaissance italienne est parvenu à mener à terme de bout en bout.

Une modénature stricte et cohérente
L'une des caractéristiques du «style» de Sinan réside dans la modénature, et en particulier dans les moulurations qui soulignent le couronnement des murs, ainsi que les éléments de transition formés par les *mukarna*, ou stalactites. De même, les gargouilles revêtent une forme sobre et nette qui traduit un fonctionnalisme avant la lettre.

Sous le moutonnement des dômes
L'organisation des murs et baies de la Süleymaniyé d'Istanbul, disposés entre de vigoureux contreforts, ménage des galeries externes faisant office d'élégantes entrées secondaires.

Une sobriété d'épure
Dans la Süleymaniyé, l'écoinçon séparant deux arcs d'une galerie externe s'orne d'un disque de porphyre auquel répond l'alternance des claveaux clairs et foncés, alors qu'une moulure classique s'inscrit au-dessus de ce décor ascétique. On songe aux exemples de Brunelleschi, à l'Hôpital des Innocents de Florence (1421–1424), à ceux de Laurana dans la cour du Palais ducal d'Urbino (vers 1465), ou même à ceux du Palais de la Chancellerie à Rome (1485–1511). Pour ces écoinçons, comme pour d'autres formules décoratives de la Renaissance, l'influence des peintres italiens présents à la cour de Top Kapi s'est peut-être exercée sur Sinan.

L'absence de difficultés financières à Istanbul permit aussi l'achèvement des travaux dans les meilleurs délais. On estime en effet que l'ensemble fut terminé en moins de dix ans. Les «Annales» de Top Kapi nous apprennent que 2500 ouvriers, tant musulmans que chrétiens, tous volontaires et salariés, participèrent au chantier, auquel ils consacrèrent quelque 5,5 millions de journées de travail.

Une organisation tripartite
Détail de l'organisation d'une galerie externe à la Süleymaniyé : la logique se pare de liberté. Ainsi le portique surmonté d'un grand arc brisé présente trois arcs qui se fondent latéralement dans les murs. Aussi, à gauche et à droite, les disques ornant les écoinçons sont-ils coupés en deux. En revanche, la porte, dérogeant à la symétrie générale, est déplacée sur la droite.

Une dentelle de pierre
Détail de la balustrade ornant la galerie externe de la Süleymaniyé : l'entrelacs, formant une *claustra* de marbre, s'articule à partir d'un motif en étoile à six branches.

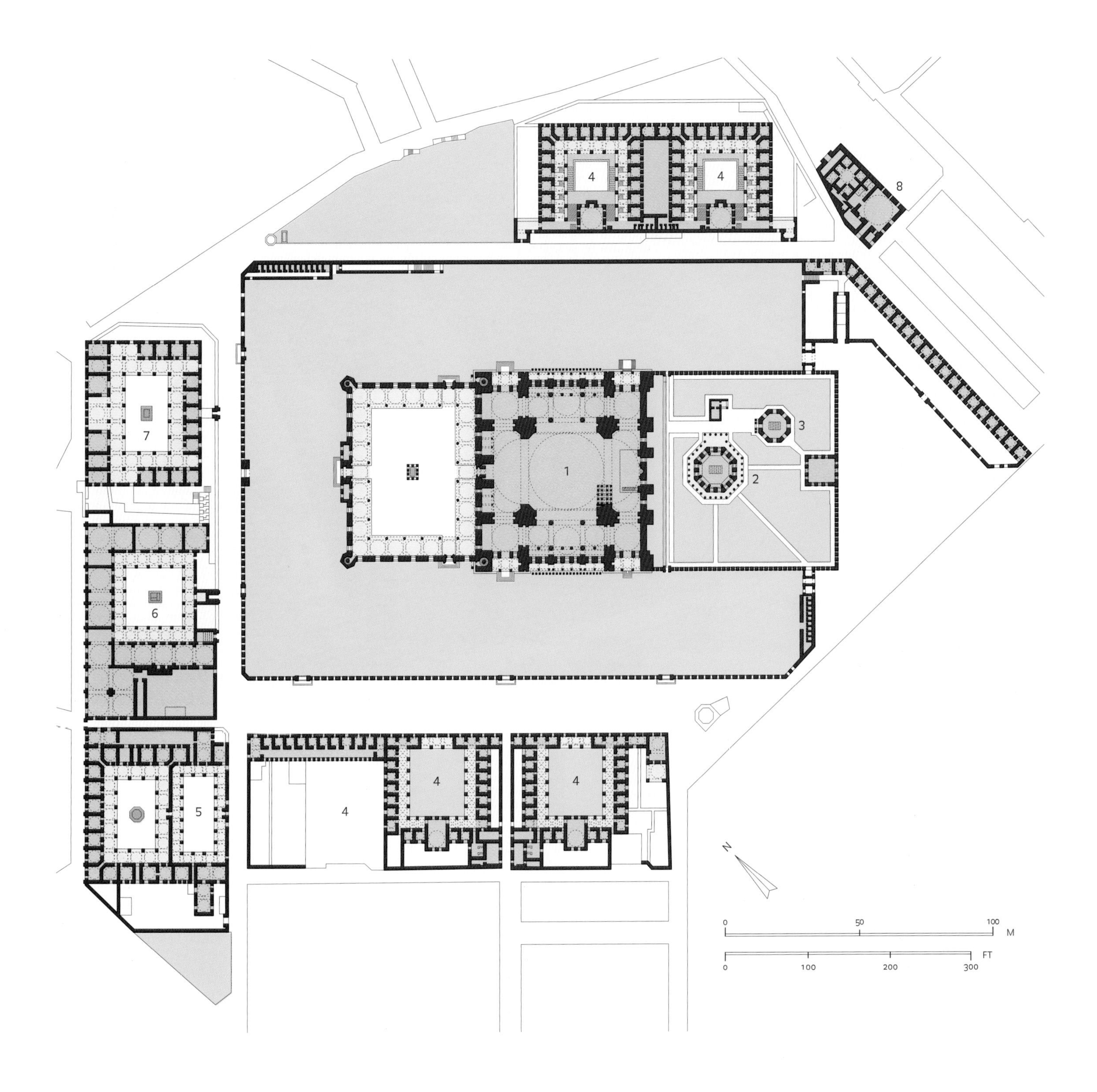

La *külliyé* de Soliman

Une organisation régulière régit la fondation du sultan. Le plan est tempéré par les impératifs de la topographie et par la déclivité du terrain sur lequel se dresse la Süleymaniyé à Istanbul:

1 Mosquée
2 Türbé de Soliman
3 Türbé de la sultane Haseki Hürrem
4 *Madrasa*
5 Hôpital-dispensaire
6 Cuisine populaire
7 Librairie
8 *Hammam*, ou bains

L'accueil des croyants
Les fidèles qui se rendent à la mosquée sultaniale de Soliman sont accueillis dans les quatre *madrasa* qui bordent les espaces libres de la *külliyé*. Ces édifices réservés à l'enseignement comportent des arcades sur cour avec des files de coupoles que rythment les cheminées individuelles.

Havre de paix et de recueillement
À Istanbul, le portique sur cour de la Süleymaniyé comporte des arcades de hauteurs différentes qui rythment l'espace devant la salle de prière de la mosquée.

Un *hammam* double
À Istanbul, les bains de la sultane Haseki Hürrem (Roxelane), sont destinés pour moitié aux hommes, et pour moitié aux femmes. Il en résulte une composition symétrique des salles, lisible dans la disposition des coupoles.

Les créations utilitaires

Ce fantastique potentiel de carriers, de maçons, de tailleurs de pierre, de manœuvres et de spécialistes dont dispose la Turquie ottomane, Sinan qui – au titre d'architecte en chef du palais – dirige une sorte de «bureau d'entreprise générale», le met aussi au service de travaux d'édilité et de créations utilitaires. C'est le cas pour ce que l'on pourrait nommer l'architecture de l'eau: les aqueducs et les *hammam*. Destinées au bien-être de la population stambouliote, ces réalisations représentent une part importante de l'activité de construction au milieu du XVIe siècle.

Parmi les travaux d'ingénieur que Sinan consacre à l'hydraulique, il faut mentionner le réseau des aqueducs qui alimentent la capitale. Celle-ci est devenue, depuis un siècle qu'elle est passée aux mains des Ottomans, une métropole populeuse et active. Ses besoins en eau ont considérablement augmenté: de multiples fontaines (le *sébil* qui fait partie des aménagements de piété) et bains turcs ou *hammam* (conçus à l'image des thermes romains) ont été créés. Ces fondations nécessitent de grandes quantités d'eau qui sont amenées, de fort loin parfois, grâce à des aqueducs.

Les chantiers s'organisent dans deux directions, de façon à permettre de fournir à la ville les ressources en eau que nécessitent son faste et sa grandeur: d'une part, la restauration systématique des aménagements romano-byzantins (aqueduc de Valens, par exemple), et d'autre part, la construction de nouveaux ouvrages d'art, mis en œuvre dans le nord-est de la ville, et qui franchissent une dépression dans la région nommée «Forêt de Belgrade».

L'un de ces ouvrages neufs, qui se nomme en turc Uzunkemer (le «long aqueduc») datant de 1563, présente un pont à deux arcades superposées qui mesure 716 m de

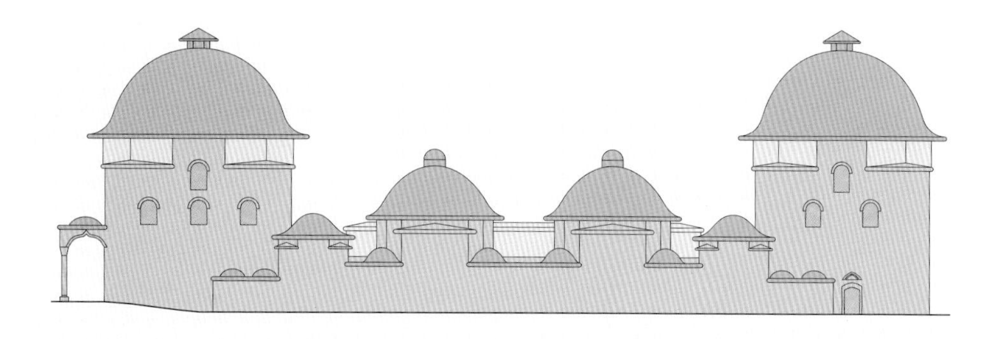

L'accès aux salles thermales
Jouant le rôle de *tepidarium*, avant le «bain turc» proprement dit, la salle étroite conduisant au *caldarium* du *hammam* d'Haseki Hürrem est surmontée de coupoles pourvues de petits *oculi* de verre, fournissant le seul éclairage.

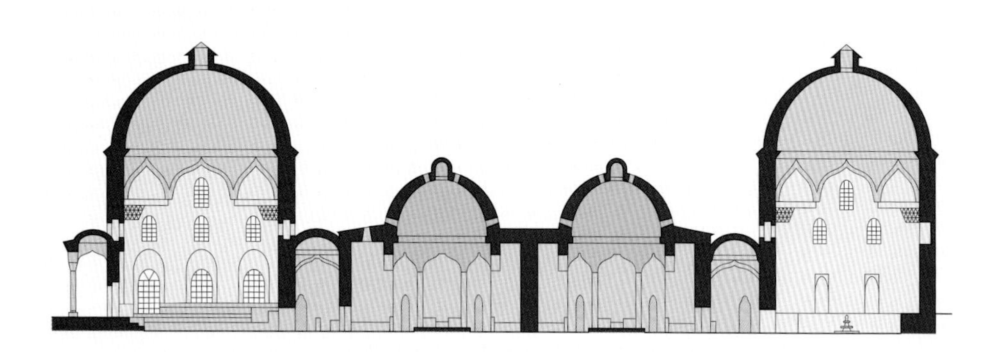

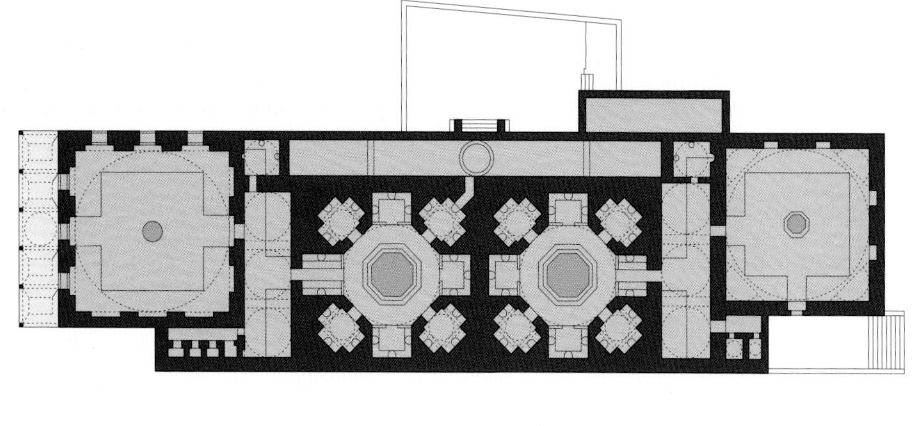

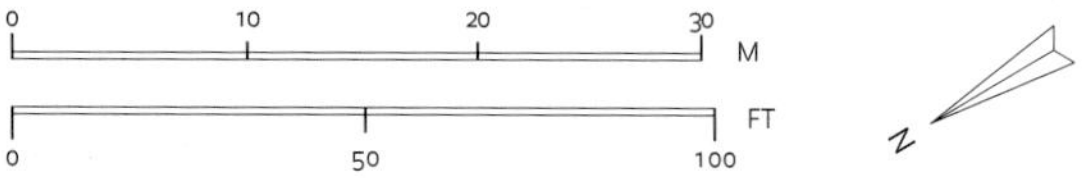

À gauche
La beauté dans l'utile
Élévation latérale, coupe longitudinale et plan du *hammam* double de la sultane Haseki Hürrem, à Istanbul: cet édifice utilitaire, réalisé en 1556 par Sinan, est entièrement pourvu de voûtes et de coupoles à couverture de plomb.

long pour une hauteur de 26 m; l'autre, nommé Egrikemer (ou «aqueduc coudé») est long de 342 m et compte trois arcades superposées portant la canalisation à 35 m de hauteur. Ces deux ouvrages constituent une belle démonstration technologique, avec appareil à bossage et arcs en plein cintre.

Grâce à de telles sources d'approvisionnement en eau, la ville d'Istanbul a pu se doter de nombreux bains. L'un d'eux, dû à Sinan, se dresse vis-à-vis de Sainte-Sophie et fut conçu à la demande de la sultane Roxelane. C'est le *hammam* d'Haseki Hürrem, édifié en 1556 et qui a fait récemment l'objet d'une belle restauration. Il est conçu comme un bâtiment double et symétrique, un côté étant réservé aux hommes et l'autre aux femmes. Toutes les salles qui sont couvertes de dômes se rédupliquent donc: depuis les extrémités, ce sont le vestibule avec bassin, le bain de vapeur, ou étuve, sous une coupole octogonale, et la salle de repos, avec cabines de massage, épilation et soins de toilette.

Page 147
Le «bain turc»
Une salle circulaire du *hammam* d'Haseki Hürrem, à Istanbul, est couverte d'une belle coupole aux multiples *oculi* de verre. Cet espace harmonieux se prête aux massages et au repos. Entre les bains de vapeur proprement dits, qui occupent les angles de la construction et ne sont accessibles que par une petite porte en «chatière», des loges attendent les visiteurs.

Selon la tradition, les salles à coupoles sont toutes dotées de petites ouvertures munies de vitrages en forme de cloches enchassés dans la couverture de plomb. À propos des fondations utilitaires, on citera d'autres ouvrages sinaniens, tel la Tekké de Soliman, à Damas. Le mot *tekkiyé* ou *tekké* désigne une sorte de couvent de derviches. Dans l'exemple que constitue cette fondation du sultan, il s'agit plutôt d'un relai pour les pèlerins qui font le voyage à La Mecque. Cette *külliyé* fondée en 1554 occupe un vaste espace d'environ 100 m sur 150 m, au fond duquel se dresse une belle mosquée à dôme unique flanqué de deux minarets, et que précèdent en façade un vestibule à quatre colonnes et un auvent à douze colonnes dont deux en retour d'angle de chaque côté. L'édifice est précédé d'un bassin à ablutions au centre de la cour. Des rangées de chambres à coupoles qu'abrite un léger portique se dressent de part et d'autre, alors qu'en face de la mosquée, à l'autre extrémité du terrain qui borde la rivière Barada, à Damas, une cuisine populaire présente un aménagement symétrique, avec, des deux côtés, les salles à manger des pèlerins.

Sinan, constructeur d'acqueducs
Pour approvisionner en eau la vaste cité d'Istanbul, avec ses fontaines, ses *hammam* et ses bassin à ablutions, les Ottomans ont dû compléter l'ample réseau d'aqueducs qui avait été créé à l'époque romano-byzantine. Ainsi, l'architecte Sinan est-il chargé en 1563 de la construction de l'Uzun-kemer («le long aqueduc»), qui atteint 26 m de hauteur pour 716 m de long. Il amène l'eau de la région nommée «Forêt de Belgrade», située à une vingtaine de kilomètres au nord-est d'Istanbul.

Les travaux d'ingénieur
En tant que membre du génie dans l'armée, Sinan avait l'habitude de résoudre les problèmes d'intendance. L'Egrikemer («aqueduc coudé»), long de 342 m et haut de 35 m dans la zone où il atteint trois étages d'arcades, se situe près de Kémerburgaz. Il atteste la maîtrise technologique des bâtisseurs ottomans et le souci de Soliman d'approvisionner sa capitale en pleine expansion.

Une halte pour les pélerins de La Mecque
La Tekké (ou Tekkiyé) de Soliman, à Damas, sur la route de l'Arabie, est un couvent de derviches jouant le rôle de relais. Cette réalisation de Sinan, construite en 1553 – contemporaine de la Süleymaniyé d'Istanbul – comporte une mosquée dont la salle de prière adopte un décor géométrique, issu de l'art ayyubide et mamelouk. Son espace carré est couvert d'une seule coupole sur pendentifs.

Sinan reprend ses recherches originales

Les considérables effectifs en ouvriers de la grande entreprise que dirige Sinan à Istanbul, où viennent de s'achever les travaux de la Süleymaniyé, après ceux de la Shézadé, ne vont pas demeurer inactifs. Sinan reprend ses recherches au point où elles en étaient lorsqu'il obéit aux ordres de Soliman: pour répondre aux vœux du souverain, concernant le caractère de représentativité emblématique que devait revêtir la nouvelle mosquée sultaniale, il avait dû renoncer à poursuivre sa démarche qui tendait à s'affranchir du «modèle» de Sainte-Sophie.

L'occasion lui est donnée de renouer avec sa propre problématique: le grand vizir Kara Ahmed Pacha le charge en effet de construire, vers le milieu du XVIe siècle, une mosquée située en bordure de la Muraille terrestre, à mi-chemin entre la mer de Marmara et la Corne d'Or. L'œuvre qui eut une genèse troublée par la condamnation à mort de son maître d'œuvre, en 1555, ne sera achevée que dix ans plus tard, après avoir subi une réduction du projet initial en raison de l'amenuisement des ressources qui y furent consacrées.

Ce qui caractérise le concept de cette mosquée est essentiellement le parti hexagonal de la coupole cantonnée de quatre demi-coupoles flanquant les côtés de l'hexagone. Celui-ci forme comme un «baldaquin» s'inscrivant dans une salle barlongue de 28 m sur 18 m. Les six angles supportant la structure reposent sur six colonnes antiques de remploi en granit rose, surmontées de magnifiques chapiteaux à stalactites.

L'homogénéité de l'espace haut de 20 m environ, que ne vient interrompre aucun élément porteur, constitue une réussite remarquable. Les contrebutements sont invisibles et résultent d'un système de doubles parois qui laissent le mur de la *kibla* rigoureusement vertical. On n'a désormais plus affaire à une «cascade» de dômes formant une masse pyramidale s'enchaînant du sommet de la couverture jusqu'à sa base.

Ce programme fondé sur une coupole qui commande tout l'édifice, Sinan le reprend – mais à plus grande échelle – pour la remarquable mosquée consacrée à la princesse Mihrimah, fille de Soliman, qui se dresse non loin de la Porte d'Edirné. Elle fut mise en chantier après le décès de la sultane, survenu en 1558, et n'aurait été achevée qu'entre 1562 et 1565. Sa réalisation constitue une véritable gageure; car les dimensions de la salle de prière barlongue atteignent cette fois 22 m de profondeur pour 33 m de large, et la coupole culmine à 38 m au-dessus du dallage.

Page 151
Le jeu de la polychromie
À la Tekké de Soliman, le recours aux assises alternées – claires et sombres, selon la formule dite *ablak* - relève d'une tradition arabe qu'avaient adoptée les Seldjoukides. L'édifice cubique, surmonté d'un dôme hémisphérique à arcs-boutants, est sommé de deux beaux minarets polygonaux à une seule galerie. Le langage plastique est typique de la manière sinanienne.

Vers de nouveaux espaces
Construite entre 1550 et 1565, la mosquée dite de Kara Ahmed Pacha, grand vizir de Soliman, recourt à un plan hexagonal: la coupole principale – contrebutée latéralement par deux paires de grandes trompes – repose à gauche et à droite sur deux belles colonnes antiques de remploi en granit rose. Elle comporte en outre un *minbar* de marbre fait de panneaux à claire-voie.
En bas: Vue transversale en contre-plongée sur les coupoles de la Kara Ahmed Pacha Djami d'Istanbul.

Une cour de mosquée arborisée
Vue plongeante sur la cour barlongue de la Mihrimah Djami (1558–1565) d'Istanbul. Cette mosquée comporte latéralement des portiques doubles, surmontés de deux rangées de petits dômes. Au centre, un édicule surmonte le bassin à ablutions rituelles.

Sans contrebutement apparent
Plan et coupe longitudinale de la Mihrimah Djami, à Istanbul. Jaillissant d'un seul élan, la salle de cette mosquée construite par Sinan après 1558, est fondée sur un plan barlong avec coupole centrale reposant sur huit supports – quatre colonnes antiques de remploi disposées latéralement deux à deux et quatre piles noyées dans les murs antérieur et postérieur. L'élévation montre que l'édifice ne recourt à aucun élément de contention visible pour soutenir sa grande coupole de 20 m de diamètre qui culmine à 37 m de hauteur.

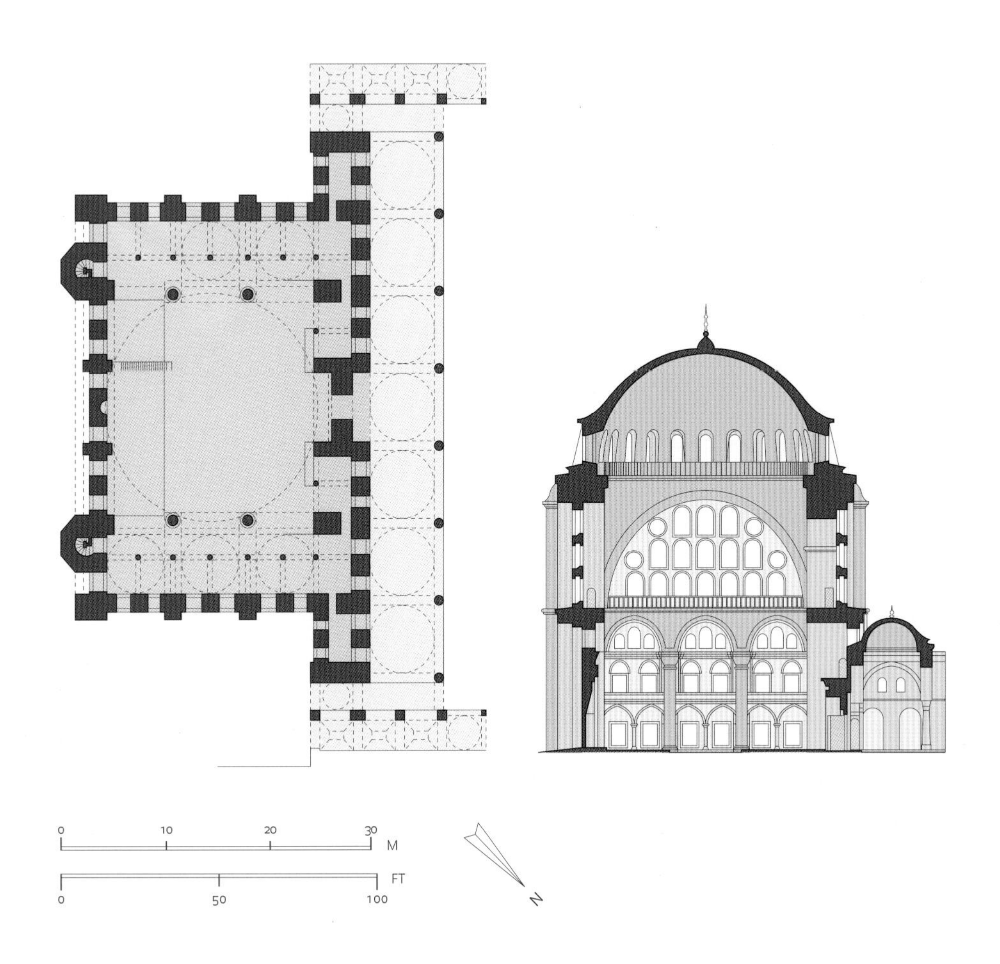

Un ruissellement de clarté
Si la Shézadé – se fondant sur une formule inaugurée avec Sainte-Sophie – recourait à quatre demi-coupoles de contrebutement, la Mihrimah de Sinan adopte l'autre élément de l'illustre «modèle»: les murs-tympans, dont elle généralise le principe sur les quatre côtés de la mosquée. Il en résulte un espace cristallin et lumineux d'une prodigieuse audace.

Des murs transparents
Le miracle de la Mihrimah Djami réside non seulement dans l'absence de contrebutement, mais dans les parois ajourées qui supportent le dôme. La *kibla*, par exemple, ne compte pas moins de 19 baies dans le mur du *mihrab* et 19 autres fenêtres dans le tympan, soit 38 ouvertures. Quant à la coupole, elle présente à sa base une couronne de 24 baies.

Page 155
Un jaillissement unique
D'un seul élan, le chevet de la Mihrimah Djami d'Istanbul dresse sa façade formée d'un grand arc entre des piles d'angles octogonales qui contiennent les poussées du dôme. L'architecte Sinan y démontre la virtuosité de ses solutions technologiques.

Faïences polychromes
Certaines parties de la Mihrimah Djami d'Istanbul s'ornent de carreaux hexagonaux de faïence d'Iznik, qui tempèrent la pureté presque austère de cette mosquée exemplaire.

Le plan montre un *haram* barlong que précède une vaste cour à portiques faisant largement saillie de part et d'autre de la salle de prière. Celle-ci est surmontée d'une unique coupole que flanquent, latéralement, trois petites coupoles qui permettent de disposer des tribunes surélevées sur les côtés. La *kibla* supporte directement un haut mur-tympan ajouré. Latéralement, une triple arcade repose sur deux puissantes colonnes de granit rose qui soutiennent, à gauche comme à droite, un mur-tympan analogue. À l'origine, il en allait de même pour la paroi postérieure, mais un séisme a nécessité des réfections qui ont transformé certaines baies en «fenêtres thermales» qui ne sont pas du meilleur effet.

La statique de cette structure à coupole centrale, que de grands pendentifs relient aux angles, est assurée par quatre piles externes cantonnant le dôme. Comme dans l'exemple mentionné précédemment, la Mihrimah Djami ne comporte aucun contrefort visible dans la paroi qui constitue la *kibla.* Au contraire, celle-ci est rigoureusement verticale et littéralement transparente, tant y sont nombreuses les baies que l'architecte s'est permis d'y ouvrir. On ne compte pas moins de 19 fenêtres dans le tympan et 19 baies dans la seule *kibla.* À cela s'ajoutent autant d'ouvertures latéralement et en façade sur cour, ainsi que 24 baies à la base de la coupole.

Au total, la Mihrimah Djami, avec ses quelque deux cents ouvertures qui y font ruisseler la lumière, est un espace aérien. Toute de légèreté diaphane, cette mosquée apparaît comme une structure arachnéenne qui défie les lois de la pesanteur.

Bien que Sinan recoure ici à un vocabulaire fondé sur le dôme, les pendentifs et les murs-tympans (organes typiques de la basilique justinienne), il innove de manière audacieuse. Plus rien ne rappelle, désormais, la démarche des architectes de Sainte-Sophie. On est en présence d'une complète métamorphose tant spatiale que technologique.

Avant même la disparition, en 1566, de Soliman le Magnifique, à l'âge de 72 ans, l'architecte du sultan a réussi à réaliser la mutation profonde qu'il voulait faire subir à l'art ottoman pour le libérer du paradigme byzantin.

Le *türbé* de Soliman le Magnifique

Soliman âgé
Ce portrait du Sultan, réalisé par Nigari vers 1565, le montre, vêtu d'un cafetan, les traits émaciés et portant la barbe blanche. Il est suivi par deux serviteurs de la Cour. (Bibliothèque du Musée de Top Kapi Saray, Istanbul)

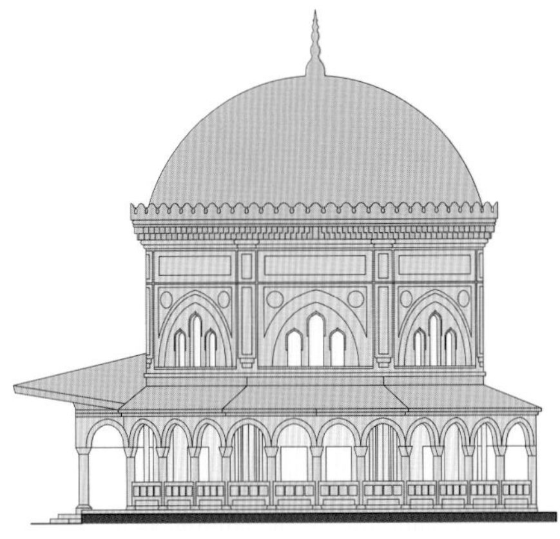

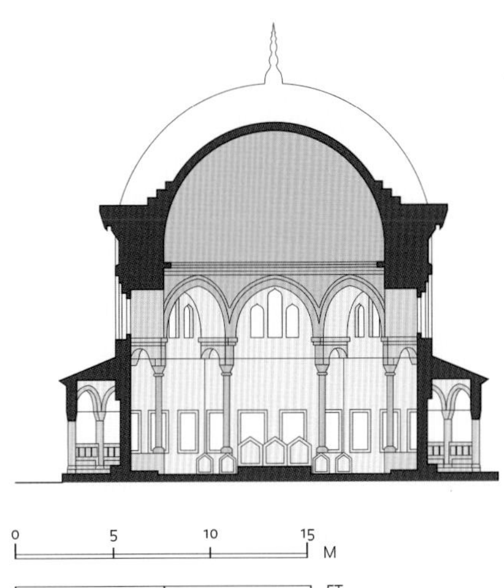

La dernière demeure du Sultan
Dans le cimetière situé derrière la Süleymaniyé, Sinan a édifié pour Soliman un tombeau octogonal. L'élévation et la coupe révèlent que la salle à coupole est pourvue d'un portique pourtournant permettant le rite de circumambulation.

Sinan construit pour le sultan qui décède en 1566 un *türbé* ou tombeau monumental qui se dresse au chevet de la Süleymaniyé et occupe une position centrale, sur l'axe du péribole réservé aux tombeaux. D'ailleurs Roxelane, la sultane d'origine ukrainienne reposait, depuis 1558, dans un mausolée à l'est de celui que l'architecte de la cour édifie pour Soliman le Magnifique. La formule du *türbé,* illustrée par les tombeaux-tours des Seldjoukides de Roum, trouve donc, comme à Bursa, son prolongement à l'époque ottomane.

Le tombeau de Soliman est un bâtiment octogonal qui mesure 21 m de diamètre et autant en hauteur. Une galerie basse en fait le tour, qui permet d'y effectuer le rite de la circumambulation, traditionnel dans le monde islamique pour marquer la vénération et la piété. L'espace interne proprement dit, est dominé par une coupole hémisphérique qui repose sur une arcade octogonale supportée par huit colonnes.

D'un point de vue formel, l'édifice s'inscrit dans la stricte lignée des *türbé* qui dérivent du premier monument funéraire islamique: le tombeau du calife al-Mustanzir, à Samarra, datant de 862. Cet édifice abbasside, également octogonal, comporte, lui aussi, une galerie pourtournante qui ceint la salle à coupole abritant la tombe du défunt. Ce prototype procède lui-même du vénérable Dôme du Rocher, à Jérusalem, datant de 687, qui présente des caractéristiques identiques: octogone et couloir périphérique.

À Istanbul, la couverture du tombeau de Soliman le Magnifique se signale par un aspect intéressant: elle est faite de deux coques emboîtées l'une dans l'autre, la coupole intérieure de 11 m de diamètre étant surmontée d'un dôme, visible de l'extérieur, qui mesure 16 m de diamètre. Cette formule se réfère également au Dôme du Rocher, où la coupole à ossature de bois est faite de deux coques. C'est aussi une tradition timuride, illustrée par le Gur-é Amir, ou Tombeau de Tamerlan, à Samarkand, datant de 1404, dont les deux coques sont fort distantes l'une de l'autre. Cette formule trouvera un écho dans une série de bâtiments construits en Perse par les Safavides.

C'est donc, à nouveau, toute une sémiologie qui s'inscrit dans l'édifice érigé par Sinan, attestant l'importance qu'accordaient les musulmans à la signification et au caractère symbolique des formes de l'architecture.

Dans le jardin peu fréquenté de la Süleymaniyé, au chevet de la mosquée qu'il a dotée d'un message implicite et pourtant éclatant, le sultan qui conduisit la Turquie à sa plus grande puissance trouve, parmi les tombes de nombreux croyants, un repos éternel.

L'apothéose sinanienne sous Sélim II

La Sélimiyé d'Edirné

Page 159

Des vitraux aux teintes chatoyantes

À Üsküdar, sur la rive du Bosphore opposée à Istanbul, Sinan a réalisé une première mosquée portant le nom de la princesse Mihrimah. On y admire de somptueux vitraux à fleurs enchassées dans une armature de stuc.

Lorsque disparaît Soliman le Magnifique, l'architecture ottomane est donc parvenue à son apogée, grâce aux audacieuses entreprises de Sinan, qui réalise une série d'ouvrages de plus en plus savants. Le vieux bâtisseur – il aura 85 ans lors de l'inauguration de la Sélimiyé d'Edirné – est en pleine possession de ses moyens. Il bouleverse l'art de bâtir, réussissant à dépasser en tous points les limites auxquelles se sont heurtés ses plus remarquables prédécesseurs. Il remplace les formules basilicales par des plans centrés qui confèrent à l'espace interne une légèreté et une harmonie inégalables.

C'est pourquoi les chefs-d'œuvre situés après 1566 feront maintenant l'objet de notre analyse. Car ils donnent de la maîtrise sinanienne une illustration spectaculaire. Pour des raisons qui tiennent à la progression dans la complexité des solutions plutôt qu'à l'ordre chronologique, la succession adoptée ici évoquera d'abord la mosquée de Sokullu, à Istanbul, achevée en 1571, puis la mosquée de l'Azap Kapi, inaugurée à Istanbul en 1577, et enfin la Sélimiyé Djami d'Edirné, achevée en 1574.

Les deux premiers bâtiments furent commandés par le grand vizir Sokullu Mehmed Pacha, personnage qui occupa le poste le plus élevé de la hiérarchie à la Cour ottomane, entre 1565 et 1579, date à laquelle il fut assassiné. Bosniaque d'origine chrétienne, cet homme d'État éminent connut donc la dernière année de règne de Soliman, puis l'époque de Sélim II (1566–1574) et le début du règne de Murad III (1574–1595). C'est à Sokullu que la dynastie doit d'avoir franchi sans heurt les pénibles circonstances de la mort de l'illustre sultan. Celui-ci assiégeait Széged (aujourd'hui en Hongrie) lorsqu'il mourut parmi ses troupes, dans le camp turc qui comprenait 90 000 hommes et 300 canons. La passation de pouvoir entre Soliman et son fils Sélim II est l'un des instants dramatiques de l'histoire ottomane.

Le grand vizir ne révèle pas à son entourage le décès du sultan et feint de prendre les ordres de son maître, tout en avertissant secrètement Sélim, qui, de Kütahya en Anatolie, le rejoint 43 jours plus tard pour se faire introniser. Suite à la disparition des deux autres fils de Soliman – Mustafa et Bayazid – qui étaient certainement plus capables, c'est un ivrogne entouré de courtisans qui monte sur le trône, laissant à son vizir les rênes du pouvoir effectif.

Sokullu Mehmed Pacha maintient Sinan au poste d'architecte en chef de la Cour. Il lui commandera d'ailleurs les deux mosquées dont il dotera la capitale. Ces œuvres – qui ne revêtent ni l'une ni l'autre des proportions monumentales – se distinguent par une série d'innovations et de trouvailles spécifiques.

Le tribut d'or

Cette miniature du «Hüner-Namé» du sultan Murad III (1574–1595), montre le sultan Mehmed recevant le tribut d'or de ses sujets. Cette superbe peinture, réalisée par Maître Osman en 1584, organise l'espace sur trois niveaux: en bas, les opérations de remise de l'or, au centre, les dépôts faits devant le sultan, et en haut, le souverain, sous sa tente d'apparat, qui assiste à la scène. (Bibliothèque du Musée de Top Kapi Saray, Istanbul)

La Sokullu et l'Azap Kapi Djami d'Istanbul

L'ultime recherche de Sinan sous Soliman avait été la Mihrimah Djami, avec sa structure à coupole unique reposant sur un carré cantonné par quatre piliers d'angle reliés à la base du dôme par des pendentifs en triangles sphériques lisses. Avec la mosquée de Sokullu, l'architecte revient à la solution hexagonale de la Kara Ahmed Pacha Djami, d'une quinzaine d'années antérieure. Mais il confère à ce plan, où le

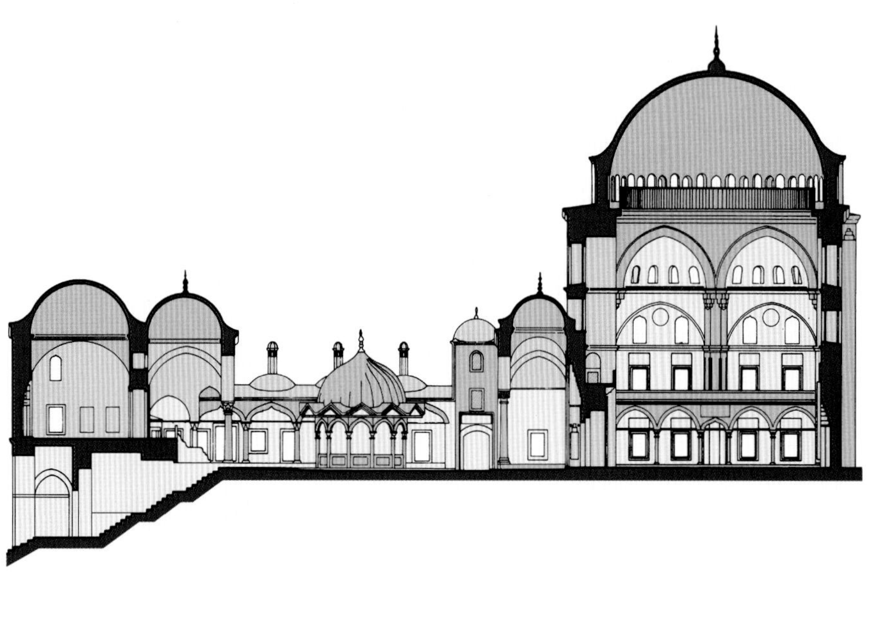

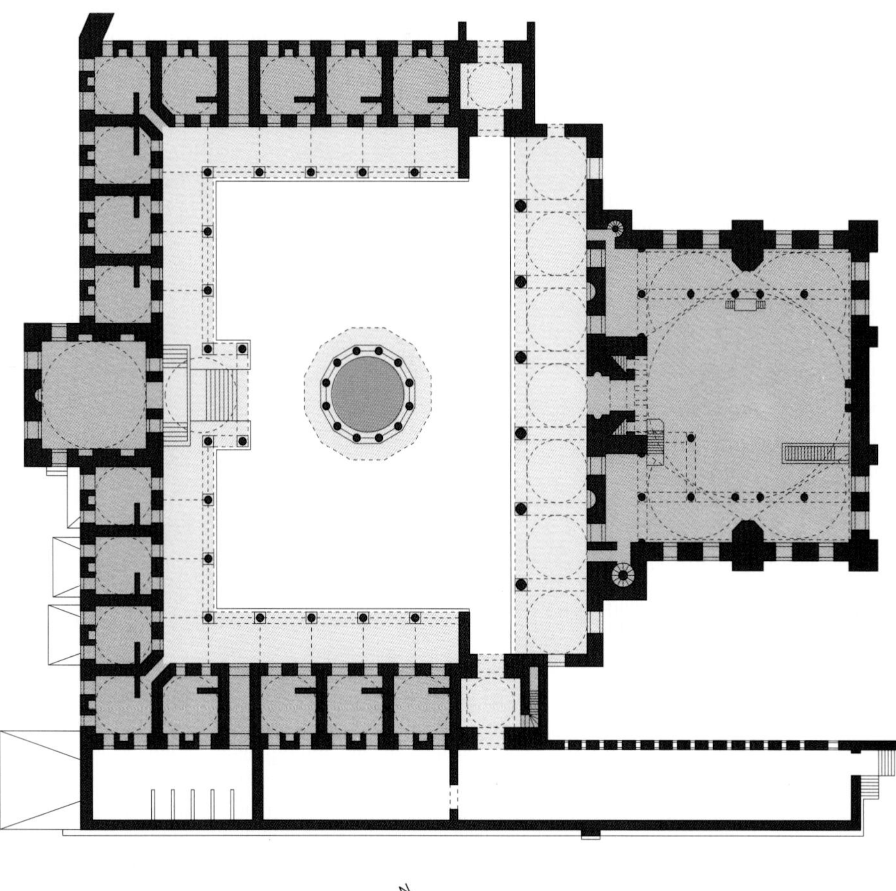

La mosquée du vizir Sokullu
Coupe longitudinale et plan de la mosquée construite par le grand vizir Sokullu, à Istanbul. De l'entrée, à gauche, on parvient à la cour par un passage souterrain ascendant. La mosquée proprement dite qui présente une coupole hexagonale à quatre grandes trompes latérales se dresse d'un seul élan – comme la Mihrimah Djami – et forme un espace unitaire.

Page 163 en haut
Des dimensions limitées
En émergeant au niveau de la cour de la Sokullu Djami (1571), le visiteur découvre un espace intime bordé de portiques, qui, avec son bassin à ablutions couvert d'une légère toiture, précède la salle de prière.

Une parure de faïence
L'intérieur de la Sokullu Djami de Sinan se pare d'un superbe revêtement de carreaux d'Iznik d'une vive polychromie, où se développe une ornementation turque classique.

dôme central est flanqué de deux paires de demi-coupoles latérales, une unité plus affirmée et une spatialité plus cohérente, qui résultent en particulier d'une plus grande élévation. En renouant avec le tracé de l'hexagone, dont les angles de 120° adoucissent les transitions d'une surface à l'autre et font largement fusionner l'espace entre le centre de la salle de prière et ses prolongements latéraux, il obtient une homogénéité admirable.

Édifiée sur un terrain pentu, en contrebas de l'Hippodrome, non loin du Bosphore, la Sokullu Djami ménage au visiteur une surprise. L'accès au terrain de 85 m sur 65 m, sur lequel se dressent la *külliyé* et sa mosquée entourée d'une cour à portiques, s'opère au moyen d'un escalier formant une manière de «tunnel» ascendant. Ce souterrain, qui relie l'entrée, placée au point le plus bas, à la cour, 8 m plus haut, passe sous les bâtiments de la *tekkiyé*. En émergeant de l'obscurité, devant la fontaine à ablutions qu'entourent les arcades disposées devant les cellules individuelles, on découvre, comme ébloui par le grand jour, la façade de la mosquée. Celle-ci, que précèdent sept petits dômes formant le vestibule, est pourvue d'un portail à stalactites coiffé d'une coupole dont l'*intrados* est couvert de faïence d'Iznik. Passé le seuil, la salle de prière paraît étonnamment spacieuse, malgré ses dimensions limitées (14 m de profondeur pour 18 m de large et 25 m de hauteur sous la clé). La *kibla,* entièrement revêtue de faïences à fleurs bleues sur fond blanc, est surmontée d'un mur-tympan percé de deux rangées de trois baies à vitraux polychromes.

Sur les côtés, l'architecte a disposé des galeries internes que surmontent, à gauche comme à droite, les paires de demi-coupoles bordant les arcs de l'hexagone. On notera que les pendentifs de ces structures latérales sont couverts de stalac-

Une entrée somptueuse
Bien que de dimensions restreintes, la mosquée de Sokullu comporte une ornementation d'une grande richesse. Son entrée mêle les inscriptions, les niches à stalactites et une coupole entièrement tapissée de faïence polychrome qui repose sur des pendentifs à *mukarna*.

Page 165
Une salle de prière scintillante
L'espace barlong de la Sokullu Djami de Sinan, à Istanbul, réalise un prodige d'élégance : la *kibla*, avec son sobre *mihrab* et son *minbar* de pierre, se couvre de carreaux de faïence. Les trompes supportent la coupole sur pendentifs revêtus de céramique. Des fenêtres ajourent les murs dans leur partie supérieure. Les galeries latérales qui sont généralement réservées aux femmes articulent l'espace.

tites. Un gros pilier, disposé sur l'axe transversal de la salle, reçoit la retombée des arcs. Pour leur part, les six pendentifs lisses de la coupole centrale sont recouverts de carreaux de faïence d'Iznik. 20 baies sont ménagées dans les reins du dôme. D'ailleurs tout l'édifice ruisselle de lumière, tant sont nombreuses les ouvertures disposées de la base au sommet.

Avec cet exemple, Sinan montre à quelle homogénéité de l'espace la formule hexagonale du plan peut donner naissance. Le verticalisme – notion relativement neuve dans l'architecture islamique – est souligné tout en privilégiant la formule barlongue de la salle de prière. Bref, la mosquée de Sokullu marque une nette rupture avec la tradition tant de la Shézadé que de la Süleymaniyé. Elle illustre les perspectives neuves qui trouveront leur pleine exploitation dans la Sélimiyé d'Edirné, laquelle adoptera cependant un plan octogonal.

Parmi les voies qu'explore Sinan, le plan fondé sur l'octogone prend précisément un attrait particulier; car il permet au maître de faire alterner les absides (axiales) et

Un bouquet de fleurs traditionnelles
Chrysanthèmes, œillets et bleuets recouvrent les délicats panneaux de céramique qui forment la parure de la Sokullu Djami, à Istanbul.

Une prodigieuse spatialité
La mosquée du grand vizir Sokullu – qui exerce le pouvoir de fait à la cour de Sélim II – est achevée lorsque Sinan, le génial architecte des sultans d'Istanbul, atteint l'âge de 82 ans. Ce chef-d'œuvre exalte le plan hexagonal pour mieux unifier l'espace interne. Il en résulte un parfait équilibre des formes, d'où toute idée d'effort ou de pesanteur est absente.

Un champ d'expériences
Les mosquées des vizirs et des pachas ottomans forment un inépuisable champ d'expérimentation pour Sinan, à la fin de sa vie. L'octogénaire ne cesse de renouveler son langage et de parfaire ses formes. Avec l'Azap Kapi Djami, conçue en 1577, Sinan revient au plan octogonal. Il réalise le contrebutement de la coupole au moyen d'une double coque, ménageant des passages latéraux – comme ceux qu'offre la Sélimiyé d'Edirné (voir page 175 droite).

les trompes (diagonales). C'est à l'Azap Kapi Djami d'Istanbul que l'on rencontre un exemple de cette problématique. Située sur la rive de la Corne d'Or, côté Galata, face à la Süleymaniyé, cette mosquée était destinée aux travailleurs des chantiers navals. Elle revêt des dimensions limitées: la salle n'excède pas 23 m en largeur et en profondeur et culmine à 17,5 m sous la coupole. Au fond de l'espace barlong, le *mihrab* est disposé dans une sorte d'abside. La coupole unique repose tant sur deux gros piliers encadrant cette abside que sur six fûts octogonaux. Elle est soutenue par une couronne d'arcs brisés. La solution constitue une variante, à petite échelle, de la Sélimiyé d'Edirné, sans revêtir la même autorité ni parvenir à imposer avec une telle force d'évidence le parti qu'illustre la mosquée sultaniale.

Page 169
L'exaltation de l'octogone
Cantonnée par quatre minarets de 83 m de hauteur, la Sélimiyé d'Edirné que Sinan met en chantier dès 1568 – deux ans seulement après le décès de Soliman – permet à l'architecte de concrétiser le plus parfait de ses concepts et de réaliser la plus admirable création de l'art ottoman.

VAKIFLAR
ARASTA ÇARŞISI

Dialogue de l'hémisphère et des cylindres
Les minarets à cannelures de la Sélimiyé d'Edirné, avec leurs délicates galeries à encorbellement sur stalactites se répondent de part et d'autre de l'épi de cuivre doré qui marque le sommet du dôme.

Conception de la Sélimiyé

Soliman étant mort en 1566, et l'ouverture du chantier de la Sélimiyé d'Edirné ayant lieu au plus tard en 1568, on peut supposer que le projet de Sinan existait déjà dans les cartons du maître lorsque les circonstances lui permirent de le mettre à exécution. Ce n'est plus à Istanbul, mais à Edirné, à 225 km au nord-ouest de la capitale, qu'il voit le jour. Le site a valeur, pour les Ottomans, de citadelle avancée par rapport aux campagnes conduites en Hongrie. C'est donc un édifice qui doit jouer le rôle de porte-drapeau de l'Islam.

L'année 1568 est d'ailleurs faste pour la puissance turque: Maximilien II, avec qui est signé un traité de paix, s'engage à verser à Sélim II un tribut annuel de 30 000 ducats d'or, et d'autre part, une ambassade de Perse arrive à Edirné pour conclure également la paix.

L'importance de la place d'Edirné dans la politique de la Sublime Porte mérite donc que l'on y édifie une mosquée sultaniale. Les travaux vont bon train, payés

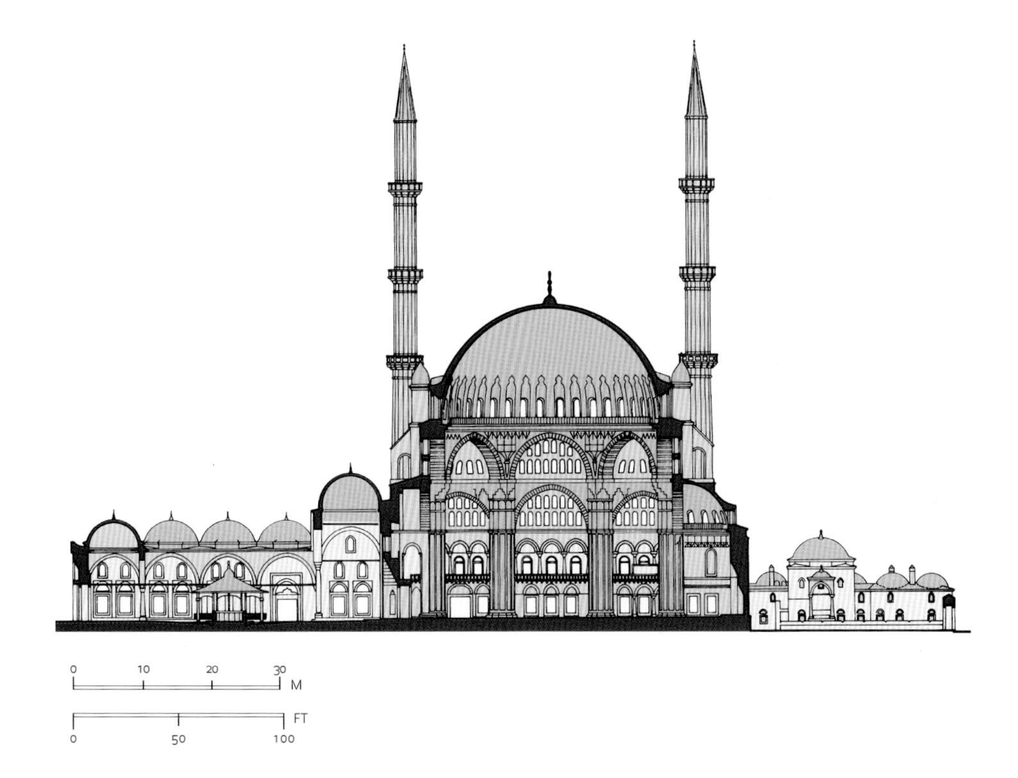

La recherche de l'unité
Coupe longitudinale de la Sélimiyé d'Edirné: Sinan parvient à ramasser, sous l'énorme coupole centrale, une salle homogène d'une grande densité spatiale.

L'apothéose de l'espace
Avec la Sélimiyé d'Edirné, les ambitions de Sinan trouvent leur accomplissement: la salle à coupole, fondée sur un plan centré, ne doit plus rien à l'architecture de Sainte-Sophie. Ce dôme qui culmine à 44 m au-dessus du sol atteint un diamètre de 31,5 m. Il dépasse donc légèrement celui du paradigme byzantin. Mais il est important par la cohésion de l'espace à laquelle il donne naissance (voir aussi l'illustration en pages 18–19).

par les prises de guerre et le tribut: dès 1572, les arcs supportant le dôme sont terminés, et en 1573, la coupole est achevée. Deux ans plus tard aura lieu l'inauguration.

La Sélimiyé d'Edirné s'inscrit, sur une éminence, dans un *temenos* de 200 m de long sur 110 m de large qu'occupe, au centre, la mosquée à cour, à laquelle s'ajoutent deux *madrasa* carrées disposées aux angles orientaux, de part et d'autre du chevet. Vers 1580, l'architecte Dawud Agha complétera la *külliyé* par un bazar qui flanque le côté long du terrain au Sud. Élève de Sinan, Dawud Agha travaille pour le compte de Murad III.

Le parti adopté par Sinan à Edirné consiste à rendre plus cohérente encore que dans ses réalisations précédentes la structure porteuse, et à souligner la compacité de l'espace et l'adéquation des organes en accentuant la masse verticale du bâtiment par quatre hauts minarets extraordinairement effilés, qui cantonnent le

La Sélimiyé d'Edirné et sa *külliyé*
Plan de la fondation de Sélim II, comportant, au centre, la mosquée à cour qui porte le nom de Sélimiyé, dont les deux surfaces barlongues se répondent. La salle de prière octogonale s'inscrit dans un bâtiment de 66 m sur 50 m que contrebutent quatre minarets. À droite, deux *madrasa* à cour et, en bas, le bazar que réalisa, vers 1580, l'architecte Dawud Agha, lui-même élève de Sinan.

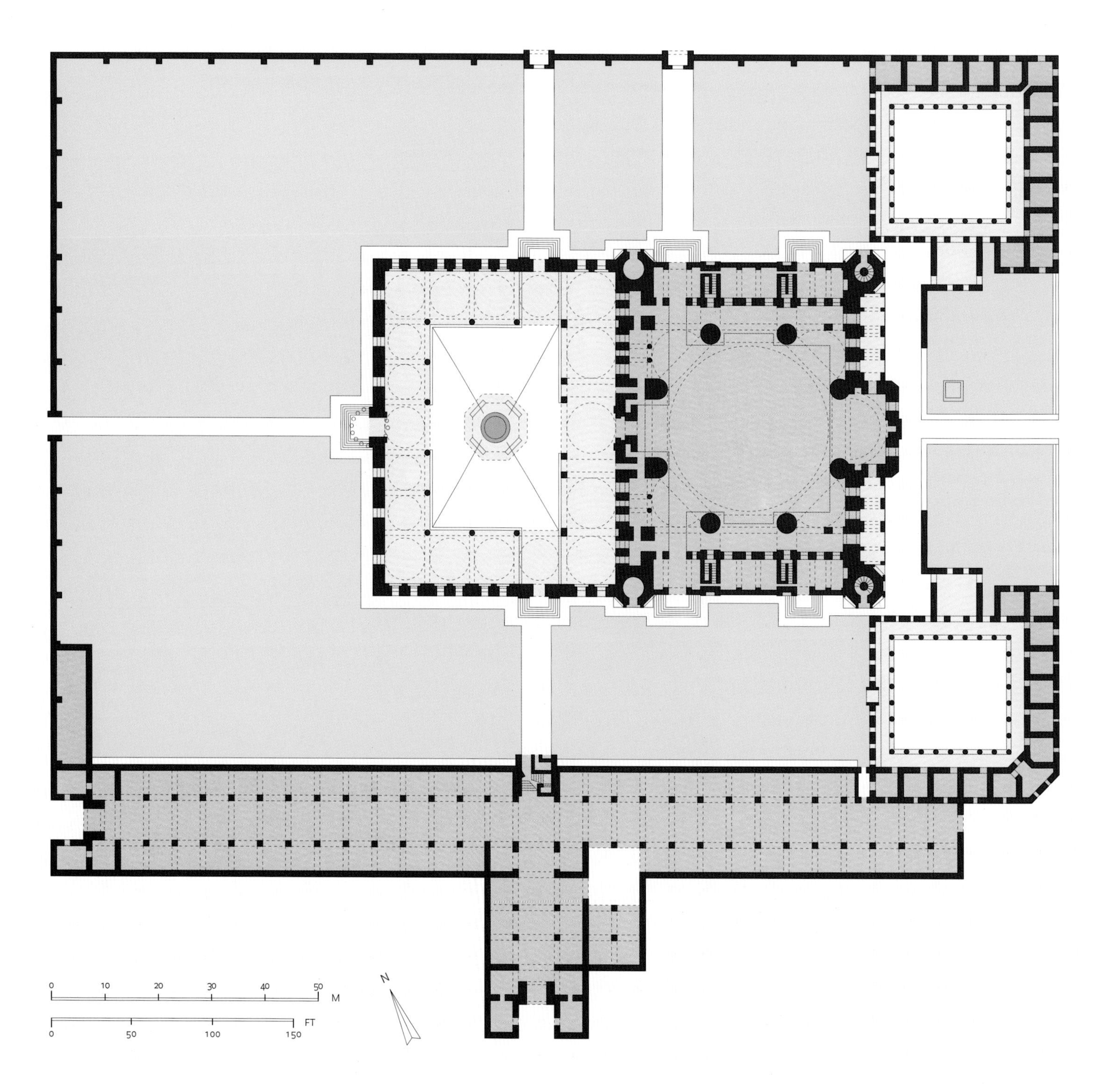

Une structure en parfait équilibre
Le dôme octogonal de la Sélimiyé d'Edirné se dessine entre les minarets qui cantonnent l'édifice. Les piles d'angles marquent de leurs accents la structure de la coupole régissant le plan centré. Sur les faces du bâtiment alternent – à deux niveaux – les murs-tympans et les trompes.

dôme central. Ainsi l'architecte parvient non seulement à conférer à sa mosquée un fantastique élan vers le ciel, mais il utilise du même coup les minarets comme des piles de contrebutement, alliant l'efficacité et la perfection structurelle à un verticalisme plus affirmé que jamais.

L'édifice entier mesure 100 m de long par 68 m de large. Quant à la salle, elle s'étend sur 35 m en profondeur et sur 46 m en largeur, avec une coupole qui culmine à 44 m au-dessus du pavement. Le système porteur est régi par un tracé octogonal comportant huit piles, avec, dans les diagonales, des trompes en cul-de-four d'une dizaine de mètres de diamètre. Sinan a donc éliminé la solution des grands pendentifs angulaires, au profit d'une formule qui permet un meilleur épanouissement de l'espace interne régi par un plan barlong. La salle y gagne en homogénéité.

Certes, il subsiste de petits pendentifs aux angles reliant l'octogone à la base circulaire de la coupole, ainsi qu'au fond des quatre grandes trompes d'angles. Mais ils sont presque «camouflés» par les légères stalactites qui en tapissent la surface. La coupole atteint 31,5 m de diamètre, dépassant d'un demi-mètre celle de Sainte-Sophie, laquelle culmine pourtant 12 m plus haut et ne repose que sur quatre piles. Une fois de plus, on le constate, il ne s'agit pas d'un défi. Le propos de Sinan, à la Sélimiyé, n'est pas d'éclipser Anthémios de Tralles et Isidore de Milet. Il consiste bien plutôt dans la conception d'un autre mode de couverture, ne recourant plus ni aux demi-coupoles de contrebutement, ni aux bas-côtés latéraux. En revanche, sur les quatre faces axiales de l'octogone, de même qu'aux angles de la salle, des murs-tympans percés d'une multitude de baies répondent aux 32 fenêtres ménagées à la base de la coupole.

Une succession de volumes
Comme il en a le secret, Sinan sait combiner les cascades de coupoles et les arcs-boutants qui ont pour mission de contenir le jeu des poussées dans l'édifice : à la Sélimiyé d'Edirné, la succession des structures s'étage harmonieusement.

Plus encore que dans la Mihrimah, où des flots de lumière pénétraient déjà dans l'édifice, la Sélimiyé se mue en une coque translucide, percée de plus de 270 baies. Ainsi allégée, la salle semble former une enveloppe immatérielle et limpide, privée de toute pesanteur. Jamais, fût-ce dans l'art de la Renaissance occidentale, la maîtrise architecturale n'a été autant exaltée.

Comment Sinan a-t-il résolu le problème des poussées nées de la pesanteur du dôme ? Pour l'essentiel, l'analyse du bâtiment montre que la clé du langage sinanien, sur le plan architectonique, réside dans le recours à des murs-boutants intérieurs qui conduisent à la création d'un système de double coque. Celui-ci apparaît au niveau des galeries qui font le tour de la salle, passant derrière les piles de soutènement. Cette « mécanique » subtile crée un contrebutement interne aussi discret que parfaitement intégré dans l'enveloppe du bâtiment, de telle sorte qu'elle n'apparaît jamais comme telle, mais se fond dans une structure homogène.

Solution technologique
La technique du contrebutement à double coque mise en pratique par Sinan trouve à la Sélimiyé son application la plus brillante : ainsi la pile interne (à gauche) située à l'un des angles de l'octogone se trouve-t-elle raidie par un énorme arc-boutant. Cette fonction est masquée tant par le passage ménagé sous la voûte que par les galeries latérales.

Fleurs et pampres
Comme la Sokullu Djami d'Istanbul, la Sélimiyé d'Edirné recèle de beaux revêtements de carreaux de faïence sur lesquels s'épanouit un décor floral somptueux.

Ce qui frappe, dans cette salle de prière, c'est avant tout son unité spatiale : pas la moindre subdivision ne perturbe l'image de ce vide transparent et serein que l'on pourrait qualifier de «monolithique». Ainsi l'espace interne exprime une prodigieuse virtuosité. Mais la réussite de la Sélimiyé se confirme encore à l'analyse des jeux de masses et des volumes rythmés par les piles d'angles de l'octogone, surmontées de pinacles, et par la multiplication des murs-tympans sous de grands arcs légèrement brisés. On constate aussi, dans la Sélimiyé, un vigoureux mouvement ascendant – presque sans élément de contention visible – qui anime le bâtiment.

Comme à la Shézadé, la surface de la cour à portiques égale celle de la salle de prière. Mais ici, au lieu d'être carrés, les deux éléments sont barlongs. La cour compte sept dômes du côté de l'entrée, cinq latéralement et cinq aussi – plus larges – qui flanquent le bâtiment proprement dit. Elle montre un beau bassin à ablutions en marbre comprenant 16 côtés. Les colonnes qui sont sommées de chapiteaux à

Recherche de rythmes nouveaux
Adoptant la cadence courte des contrebutements à largeur alternée, la façade postérieure de la Sélimiyé d'Edirné offre des arcs étroits opposés aux grands arcs des portiques. Il en résulte une scansion légère de la colonnade marquée par des paires de colonnes.

Structure minérale
Les chapiteaux de la Sélimiyé d'Edirné déclinent les variations des *mukarna*, traités avec une rigueur acérée, dont émane une réelle force plastique.

Le mouvement des arcades
Les larges arches des portiques sur cour confèrent à la Sélimiyé d'Edirné une ample respiration que souligne encore la finesse des colonnes.

Alternance des arcs
La façade sur cour de la Sélimiyé d'Edirné reprend la séquence brève qu'encadrent des arcs largement ouverts. On notera le traitement en accolade des petits arcs et la présence de disques de marbre blanc pour racheter le niveau des grands arcs. Avec ses paires de colonnes encadrant l'entrée, cette formule évoque le symbolisme traditionnel du Temple salomonique. Au premier plan, le bassin à ablutions.

stalactites supportent d'élégants portiques. Sinan a adopté, du côté de l'entrée de la mosquée, un rythme symétrique fondé sur deux paires de colonnes encadrant l'accès: on peut se demander s'il ne recourt pas là à un schéma propre à maintes églises, où ce thème exprime un symbolisme salomonique, se référant à l'idée du Temple... Le même parti est d'ailleurs repris dans les galeries qui flanquent le chevet de la salle de prière, de part et d'autre de l'«abside» contenant le *mihrab.*

Ainsi, à 85 ans, Sinan réalise certainement son plus parfait chef-d'œuvre. Avec ce plan centré d'une absolue logique en même temps que d'une originalité qui bouleverse le langage architectural, le vieux maître a dépassé les facultés d'entendement de ses contemporains. Désormais, la démarche sinanienne ne sera pas poursuivie par ses successeurs, bien qu'ils aient été formés à son école. Le génial concepteur était un précurseur si visionnaire que sa quête n'a pas été comprise.

Mais l'homme qui a accumulé tant de réussites – ne se contentant jamais de l'œuvre achevée – et qui a sans cesse renouvelé les solutions, comme pour prouver au monde l'incroyable faculté d'imagination qui était la sienne, trouvera encore la force, à l'âge de 95 ans de se conformer à l'obligation rituelle du pèlerinage. Il en reviendra sain et sauf, portant le titre de *hadji,* qui désigne ceux qui ont accompli leur devoir de musulman et se sont rendus sur les Lieux Saints de Médine et de La Mecque, où ils ont fait le tour de la Kaaba, la Pierre noire, disposée, selon la tradition, par Abraham lui-même.

En jouant sur l'hexagone
La petite mosquée de Findikli, construite à Istanbul en bordure du Bosphore, peut être attribuée à Sinan: datant de 1565, elle s'inscrit dans les recherches du vieux maître sur l'espace à plan centré. Mais cet édifice n'en comporte pas moins des maladresses qui démontrent que Sinan n'a pas suivi personnellement le chantier.

Brutalité et malfaçons
Pour illustrer les errements du chef de chantier responsable de la mosquée de Findikli, on citera l'absence de chapiteau sous les retombées d'arcs, ainsi que la liaison brutale qui affecte la jonction avec les piles.

Une réelle vigueur des masses
Vue de l'extérieur, la mosquée de Findikli n'en traduit pas moins un sens des volumes qui est le propre de Sinan. L'attribution de cet édifice au grand architecte ottoman ne peut donc faire de doute.

Une organisation traditionnelle
La salle carrée et la demi-coupole qui la contrebute en direction du *mihrab* marquent un retour en arrière dans les démarches de Sinan. La Sélimiyé de Konya, bien que fort réussie, ne fait pas progresser la démarche sinanienne.

La Sélimiyé de Konya
Au cœur de l'Anatolie, dans la vénérable cité de Konya, Sinan réalise, sous le règne de Sélim II, entre 1566 et 1574, une belle mosquée à salle de prière basilicale que surmonte une grande coupole sur pendentifs. Le *mihrab* est disposé dans la demi-coupole qui prolonge l'édifice. En outre, des bas-côtés sont ménagés latéralement derrière des arcades.

Réalisations tardives

Outre ces expérimentations qui sont d'extraordinaires réussites, Sinan signe aussi des œuvres plus traditionnelles ou moins accomplies. Le vieux maître semble passer la main et laisser une certaine liberté d'initiative à son «entreprise de grands travaux». Le bureau de ses assistants produit des édifices que le patron ne fait que superviser. C'est le cas pour une série de mosquées: ainsi la Findikli Djami, en bordure du Bosphore, édifiée après 1565, qui – si elle relève d'une formule hexagonale intéressante – montre d'incontestables faiblesses de réalisation.

On peut mentionner aussi dans cette production «standard» – sans connotation péjorative – la Sélimiyé de Konya, dans l'ancienne capitale des Seldjoukides. Édifiée près du couvent des derviches tourneurs, cette mosquée présente en façade une belle galerie-vestibule, dont le portique à sept arcs est encadré par deux minarets. L'édifice de plan carré, coiffé d'une unique coupole sur pendentifs, offre une silhouette cubique. Le niveau inférieur présente des bas-côtés et une profonde abside flanquée de deux trompes, au fond de laquelle se dresse le *mihrab*. Dans cette réalisation, on reconnaît aisément les formes de la modénature sinanienne – angles rentrants surmontés d'une trompe à stalactites, moulurations qui courent tantôt à l'horizontale, tantôt à la verticale, unissant tous les volumes d'un corps de bâtiment, etc.

On songe aussi à une œuvre comme la Kilij Ali Pacha Djami, construite en 1580 dans le quartier de Tophané, à Istanbul au bord du Bosphore, qui forme une curieuse exception dans le cours de l'évolution du maître. En effet, commandé à l'architecte

Un décor «classique»
À la Sélimiyé de Konya, le traitement de la modénature s'inscrit dans la ligne caractéristique des productions du maître. Il ne diffère guère des formules mises en œuvre à la Süleymaniyé d'Istanbul (voir page 140).

Une élévation harmonieuse
La façade de la Sélimiyé de Konya, avec son élégant portique d'entrée à sept arcs, ses deux minarets très sobres et son corps de bâtiment cubique, surmonté d'un dôme, n'innove guère, mais traduit les préoccupation de clarté de Sinan.

Analogies avec Sainte-Sophie
Construite en 1580, la Kilij Ali Pacha Djami, qui se trouve dans le quartier de Tophané, à Galata, en face de Top Kapi, est souvent attribuée à Sinan. Toute la démarche architecturale dénote pourtant une nette régression, par rapport aux recherches que poursuit le maître à la fin de sa vie. Avec ses murs-tympans et ses demi-coupoles de contrebutement, l'édifice s'inspire – en plus petit – du plan de Sainte-Sophie. C'est donc à l'un des assistants de Sinan qu'il faut l'attribuer.

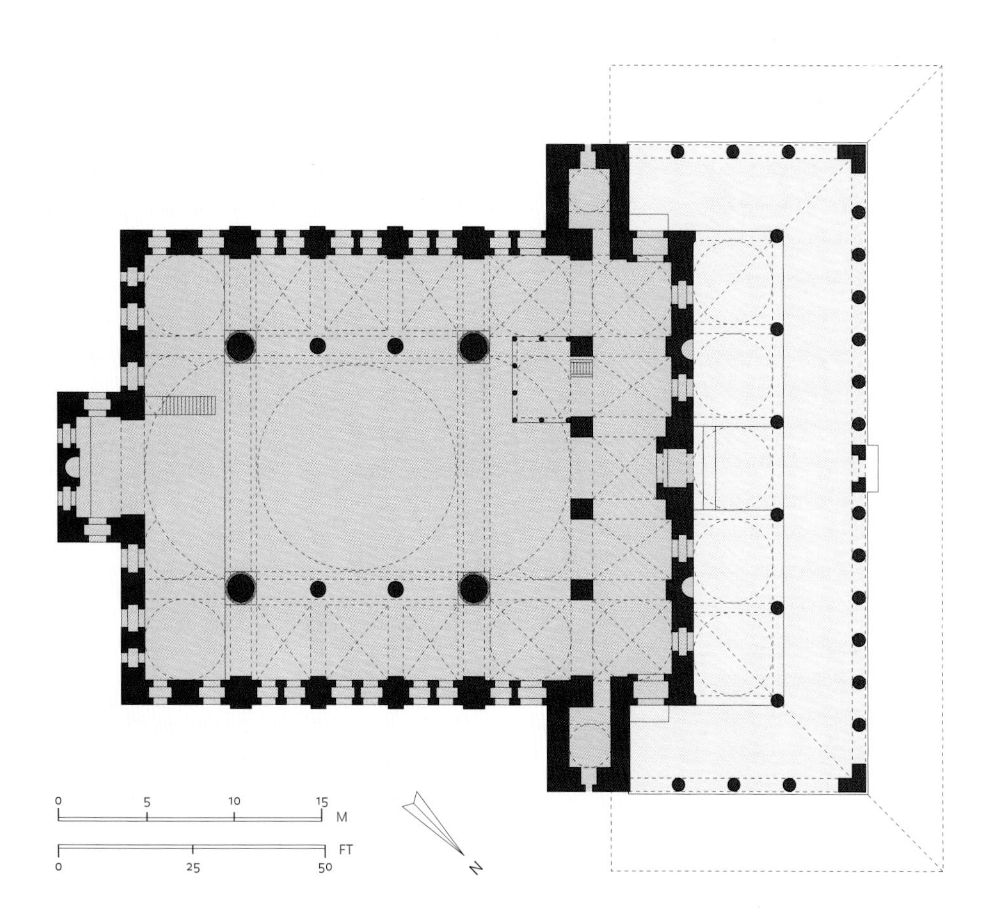

Plus de tradition que d'innovation
Un plan directement inspiré de celui de la basilique byzantine de Sainte-Sophie : reposant sur quatre gros piliers qui supportent le carré central, la coupole de la Kilij Ali Pacha Djami d'Istanbul est flanquée de larges demi-coupoles. Le portique d'entrée est enveloppé dans un avant-toit saillant.

Décor étoilé décagonal
Détail d'un panneau de volet dans la Kilij Ali Pacha Djami : les variations sur le décagone et les incrustations claires s'inscrivent dans une composition évidente.

À l'instar du «modèle» byzantin
La perspective dans la nef de la Kilij Ali Pacha Djami, à Istanbul, évoque irrésistiblement l'image – réduite – de Sainte-Sophie : bas-côtés, galeries latérales et murs-tympans sous la coupole sur pendentifs. L'œuvre, sans originalité, n'en possède pas moins une finition remarquable.

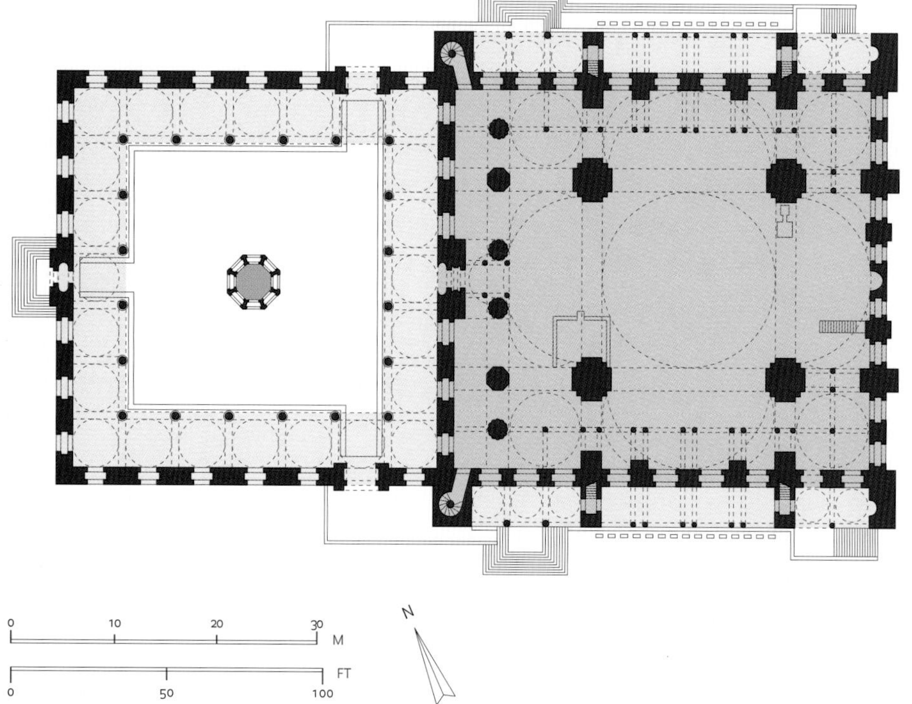

Hommage à la Shézadé
Élévation et plan de la Yéni Valide Djami, d'Istanbul, que l'architecte Dawud Agha, disciple de Sinan, a commencée en 1597, et qui ne sera pas achevée avant 1663. Avec son plan centré, fondé sur la présence de quatre demi-coupoles contre-butant le dôme central, cette belle mosquée se réfère au premier chef-d'œuvre du maître, la Shézadé. Le langage sinanien est respecté, et la tendance au verticalisme donne beaucoup d'élégance à l'édifice.

Une situation idéale
Vu du sommet de l'un des minarets de Sainte-Sophie qui furent ajoutés lorsque la basilique fut transformée en mosquée, le domaine des palais du Sultan, formant l'ensemble de Top Kapi, s'enfonce comme un cap entre Corne d'Or et Bosphore.

de la Cour par le grand amiral de la flotte turque, seul rescapé du désastre de Lépante, où furent détruites, en 1571, quelque 244 galères, l'édifice forme le centre d'une *külliyé* comprenant une *madrasa,* un *türbé,* un *hammam* et une fontaine publique.

De facture très soignée, cette Kilij Ali Pacha Djami est une réplique, à l'échelle 1:3 environ, de Sainte-Sophie. Avec 38 m de long, sans compter le porche, l'édifice reprend tous les caractères de son illustre modèle: coupole centrale contrebutée par deux demi-coupoles, bas-côtés formés de galeries latérales sur deux étages, murs-tympans reposant sur des colonnes, etc. On retrouve donc le propos de Soliman, sans la préoccupation sémiologique.

Dans le cadre de l'évolution des formes sinaniennes, il est impossible que le maître – d'ailleurs âgé de 90 ans – ait conçu un tel projet. Celui-ci ne peut être le fait que de son assistant, Dawud Agha, qui venait d'achever le bazar de la Sélimiyé d'Edirné. C'est donc déjà «l'après Sinan» qui débute, bien que la mosquée du grand amiral de la flotte se pare du nom de Sinan, qui a conservé jusqu'à sa mort, en 1588, les prérogatives de grand architecte de la Cour.

D'ailleurs après le décès du maître, le même Dawud Agha – exécutant d'un grand mérite, mais ne possédant nullement le talent de son patron – réalise et signe désormais une œuvre comme la Yéni Valide Djami, en face du pont de Galata, à Istanbul. Commencée en 1597, cette mosquée peut passer pour un *remake* de la Shézadé – avec son plan tréflé, ses quatre demi-coupoles qui flanquent le dôme central et sa cour carrée. C'est le fait d'un digne émule du génial Sinan. Pourtant, depuis un demi-siècle, l'architecture avait évolué. Et Dawud Agha semble ne pas s'en être aperçu. Tout au plus peut-on souligner une certaine volonté d'accentuer la hauteur de l'édifice par des tambours plus hauts, des coupoles plus hémisphériques, bref, une tendance au verticalisme empruntée aux dernières œuvres de Sinan.

Une réalisation ottomane tardive
L'élégante bibliothèque du sérail, à Top Kapi, fut édifiée par Ahmed III en 1718. Elle conserve la finesse des œuvres classiques.

L'ensemble palatin: le sérail de Top Kapi

Comment vivent ces sultans ottomans qui consacrent à la religion des monuments somptueux et grandioses? Comment se présente le palais de ces maîtres régnant sur un empire immense et qui répandent partout les ensembles de leurs œuvres de piété, ces *külliyé* ou fondations utilitaires, destinées aux pauvres, aux indigents, aux malades, aux pèlerins, aux ordres de guerriers de la foi et aux derviches? Bref, quel est le cadre de vie des souverains tout-puissants de la Sublime Porte? C'est à l'image du palais de Top Kapi, sur ce promontoire admirable s'avançant dans la mer entre la Corne d'Or et le Bosphore – là où se dressèrent deux millénaires plus tôt les temples d'une cité grecque nommée Byzance – qu'il faut tenter d'imaginer le palais ottoman. Car les autres édifices palatins, à Edirné, par exemple, ont disparu.

En réalité, il a toujours subsisté chez les Turcs une nostalgie du campement des tribus nomades: il suffit, pour s'en convaincre, d'examiner le plan – aussi peu cohérent qu'hétérogène – du sérail de Top Kapi. D'une surface de 450 m sur 200 m environ (9 ha), l'ensemble ceint de murs présente trois zones distinctes: derrière la première porte, un vaste champ libre forme la première cour, où avaient lieu les réceptions officielles, les revues de troupes, les grandes fêtes et les déploiements de la garde personnelle du sultan. Cet espace est bordé sur son flanc sud-est par des constructions d'intendance: cuisines, pâtisseries, etc. Selon la biographie de Sinan, l'architecte aurait conçu certains de ces ouvrages purement utilitaires.

En face de cette rangée de bâtiments, au nord-ouest, se dressent des édifices en dur précédés de portiques. Il s'agit de la salle du Conseil, derrière laquelle les appartements et le *harem* formaient un enchevêtrement de constructions qui semblent avoir été ajoutées au gré des besoins.

L'ornementation du palais
Détail d'un revêtement en carreaux de faïence d'Iznik dont les panneaux font la célébrité du palais de Top Kapi, à Istanbul. Œillets et guirlandes courent délicatement sur les murs du *harem*, comme ils parent les mosquées contemporaines.

Dominant la Corne d'Or
Du haut des terrasses du palais de Top Kapi, le baldaquin en bronze et cuivre doré d'Ibrahim Ier (1640–1648) autorisait des réceptions en plein air, réservées aux proches et aux invités de marque du sultan.

On franchit ensuite la deuxième porte qui donne accès à une deuxième cour. Le visiteur butte alors sur la Salle des Audiences: édifice relativement petit – il doit s'agir des audiences privées du Sultan – entouré d'un portique, il a été l'objet de maintes restaurations depuis la fin du XVe siècle et contient le trône à baldaquin. Au Nord, légèrement désaxée, se trouve la bibliothèque, construite sous Ahmed III, en 1718, qui trahit déjà une nette influence occidentale. À droite, le *hammam* et à gauche la petite mosquée, nettement désaxée par rapport aux autres bâtiments offrent un joyeux désordre.

Derrière un portique qui barre l'accès à la troisième cour vient enfin la partie la plus caractéristique du palais: celle qui contient – comme égaillés dans la verdure – une série de kiosques ouverts aux quatre vents, nichés dans la végétation ou situés comme des belvédères pour jouir de la vue: ce sont le Bagdad Köshkü, datant de Murad IV, et commémorant la prise de Bagdad en 1638; le Revan Köshkü, célébrant la prise d'Érivan en 1635; le Kiosque de Kara Mustafa (Sofa Köshkü), achevé en 1703, avec ses deux salles sur deux niveaux et sa pièce d'eau. Ces pavillons, avec leurs minces structures de bois, leur toiture basse et leurs vitrages couvrant les parois de bas en haut ont un réel «modernisme» (on songe à l'architecture d'un Frank Lloyd Wright). Ici, rien n'indique la majesté ni le luxe d'un souverain.

Cet art de l'agrément, de l'élégance sans faste, de la construction légère, sans monumentalité – sans pesanteur – est aux antipodes de la pompe et de la solennité ostentatoires qu'offrent les palais des souverains occidentaux contemporains. Même les bergeries de Marie-Antoinette sont fastueuses, comparées à la cour ottomane! On perçoit dans cet art de l'éphémère comme une réminiscence lointaine

Le belvédère de Murad IV
Pour commémorer la victoire des forces turques qui s'emparèrent de Bagdad en 1638, le sultan Murad IV fit édifier à Top Kapi le Bagdad Köshkü. Cette création asymétrique et libre est typique de l'art de vivre chez les Ottomans. Sur un socle qui le surélève par rapport aux jardins, ce kiosque développe ses arcades sous de larges avant-toits.

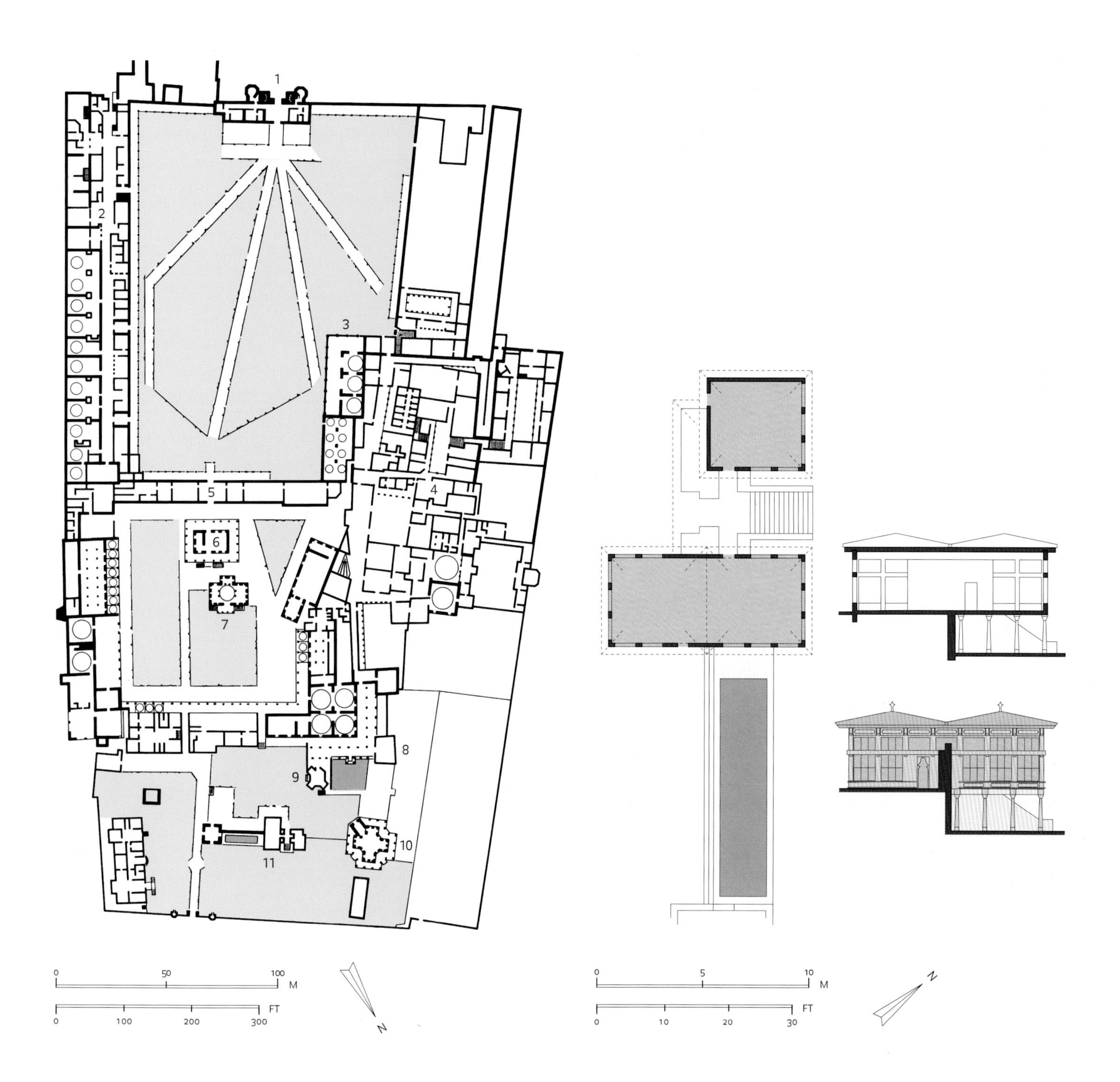

Plan des palais de Top Kapi
Les adjonctions qu'apportèrent au sérail les souverains turcs donnent à l'ensemble palatin un aspect désordonné.
1 Ortakapi, ou la porte du Milieu, **2** Cuisines et communs, **3** Divan, **4** *Harem*, **5** Bab i-Séadet, ou Porte de la Félicité, **6** Salle des Audiences, **7** Bibliothèque d'Ahmed III, **8** Salle de la circoncision, **9** Revan Köshkü, **10** Bagdad Köshkü, **11** Kiosque de Kara Mustafa Pacha.
À droite: Détail du plan, coupe et élévation latérale du Kiosque de Kara Mustafa Pacha.

des tentes des chefs de tribus qui, cinq ou sept siècles auparavant, avaient quitté la forêt sibérienne pour venir s'établir en Anatolie.

Contraste considérable entre ces bâtisses d'un palais aux richesses innombrables, certes, mais déposées dans des salles de dimensions limitées, et les grandioses déploiements de faste des édifices de prière et de piété: chez les sultans ottomans, l'ostentation se porte plus volontiers sur l'aménagement des fondations de bienfaisance que sur les installations palatines qu'habite le prince.

Et, finalement, il n'existe guère de différence entre les kiosques du Sultan à Top Kapi, et les demeures des riches stambouliotes qui ont établi, sur les rives du Bosphore ou de la mer de Marmara, leurs pavillons et *yalis* – ces maisons de bois, dont les salons se nichent dans la verdure ou surplombent les flots. Chez les uns comme chez les autres, l'absence d'apparat est remarquable. La construction de grands palais, tels ceux de Dolmabahce, n'interviendra qu'au milieu du XIXe siècle. En un temps où le style occidental est à la mode.

Un concept «moderne»
Vue de la façade sud du Kara Mustafa Pacha Köshkü, dit aussi Sofa Köshkü, achevé en 1703 par le grand vizir alors en charge du pouvoir. L'ample surface des verrières qu'offre ce kiosque – éminemment sobre – lui confère un modernisme qui surprend au début du XVIIIe siècle.

Une architecture prémonitoire
La face nord du Kara Mustafa Köshkü, dans le palais de Top Kapi, montre une construction légère sur «pilotis» qui, avec deux siècles d'avance, semble annoncer les créations de Le Corbusier ou de Frank Lloyd Wright.

Ville de bois et mosquées de pierre

Des maisons à loggia
Dans les vieux quartiers turcs qui subsistent à Istanbul, on trouve les traditionnelles maisons de bois qui formaient jadis l'essentiel de l'habitat ottoman. Les loggias en surplomb sur la rue y sont usuelles.

La spécificité de la ville turque – en particulier de la capitale, Istanbul – réside dans l'habitat entièrement en bois, qui a trait à l'ensemble des maisons, qu'elles soient collectives ou individuelles. Ce matériau aurait été adopté, dit-on, en raison des tremblements de terre. Dans un urbanisme compact et aléatoire, où des ruelles étroites et des impasses sont desservies par des chemins de terre, de hautes maisons de bois s'agglutinent en un inextricable fouillis. Aussi Istanbul, à l'époque ottomane, vit-elle dans la perpétuelle crainte des incendies. Le danger est si pressant que l'on construit des tours de guet, d'où des veilleurs sont prêts à signaler la moindre alerte.

D'une certaine manière, c'est la maison rurale, issue des forêts, qui s'impose dans la grande ville. La plupart des habitants ne proviennent-ils pas des provinces? Car si Constantinople était presque dépeuplée lors de la prise de la ville par les Turcs – ne comptant plus que quelques dizaines de milliers d'habitants –, l'afflux de familles venant d'Anatolie et des régions balkaniques ne tarde guère. Au début du règne de Soliman – cent ans après la chute de Constantinople – Istanbul aurait compté 400 000 âmes, et, selon André Clot, atteignit jusqu'à 700 000 habitants à l'aube du XVIIe siècle. C'est alors la principale cité des rives de la Méditerranée. Une cité prospère et active.

Cette agglomération maritime s'étend sur trois quartiers principaux: Stamboul proprement dite, l'ancienne Byzance, qui s'avance entre la mer de Marmara et la Corne d'Or; Beyoglu, sur la rive européenne du Bosphore, et Üsküdar, sur la côte asiatique.

Dans les quartiers commerçants, les activités sont réparties en rues ou zones, formant le bazar, qui se regroupe en corporations, selon une tradition médiévale propre à l'Occident comme à l'Orient: ici se côtoient les marchands d'objets en cuir, et là les drapiers qui vendent toutes sortes de tissus; d'un côté se trouvent les chaudronniers, de l'autre les potiers; une ruelle est vouée aux épices, l'autre aux orfèvres; là sont les changeurs, ailleurs la nourriture, laquelle est également subdivisée en zones réservée aux bouchers, qui vendent de la viande à l'étal ou des animaux de basse-cour vivants; là sont les fruitiers, là les marchandes de primeurs, etc.

Une extrême variété de produits, provenant de toutes les provinces de l'Empire ottoman, affluent par mer et par terre vers la capitale. Il en résulte, dans la région du port, une animation considérable. Les bassins et les quais consacrés au commerce sont distincts de ceux des galères de la flotte de guerre, lesquelles se trouvent devant l'arsenal, dominant le quartier de Tophané.

La division en quartiers ou ruelles s'applique aussi aux communautés de la société: ici habitent les musulmans, turcs pour la plupart; là, les Arméniens chrétiens et ailleurs encore les juifs – envers qui le pouvoir manifeste une grande tolérance, allant jusqu'à accueillir nombre d'exilés d'Espagne; une active communauté est formée par les Grecs orthodoxes, une autre par les catholiques (peu nombreux), essentiellement des marchands, car à Péra et Galata, des docks sont réservés aux navires de commerce des «Francs». C'est ainsi que l'on désigne les chrétiens d'Occident (Génois et Vénitiens) qui ont ouvert des comptoirs et qui font un actif négoce avec les Ottomans.

Pour mieux reconnaître les communautés de chaque quartier, les maisons portent une couleur distinctive. Mais ce n'est pas l'effet d'une discrimation. La société ottomane est tolérante; les non-musulmans représentent peut-être 40 % de la population d'Istanbul.

Par opposition à la ville grouillante, le sérail de Top Kapi forme une oasis de calme et de verdure, au-delà de Sainte-Sophie, à l'extrémité de la péninsule qui s'avance vers le Bosphore. Les *külliyé,* elles aussi, représentent de véritables îlots de paix que dominent les grandes mosquées: la Fatih Djami, la Süleymaniyé, la Shézadé, etc., au-dessus desquelles se dressent les hauts minarets qui confèrent à Istanbul sa silhouette particulière, et d'où partent, cinq fois par jour, les appels du muezzin, conviant les croyants à la prière quotidienne.

Le contraste est grand, entre la ville de bois, aux habitations sombres, couvertes de tuiles, et les *madrasa* et mosquées de pierre blanche, couvertes de dômes à revêtement de plomb gris clair. C'est l'antinomie entre les réalisations éphémères des hommes, et les créations «éternelles» consacrées à Allah.

Un empire immense

Diffusion de l'esthétique ottomane

Page 193

Diffusion du décor ottoman

La céramique d'Iznik contribuera à répandre dans tout l'empire des sultans les motifs et les formes décoratives de l'art turc. Les œillets, les bleuets et les pampres, outre les tulipes et les chrysanthèmes, vont essaimer dans les principales mosquées construites à l'époque ottomane. (Collection privée)

Invocation divine

Inscription turque en caractères très stylisés, ornant l'Émir Sultan Djami de Bursa, construite à l'aube du XIXe siècle par Sélim III. Le texte dit en substance: «Il n'y a d'autre Dieu qu'Allah, et Mahomet est son prophète».

Malgré des défaites – comme le désastre de Lépante en 1571 – ou des revers politiques, qui permettent aux Habsbourgs de se libérer du tribut en 1592, les Ottomans parviennent à conserver l'essentiel de leur empire jusqu'à la fin du XVIIe siècle. Mais un nouvel échec de leurs troupes devant Vienne, en 1683, aboutit à la formation d'une Sainte-Ligue, en 1684. La Hongrie ne tarde pas à être perdue par les Turcs, ainsi que la Dalmatie et la Morée (Péloponnèse) en 1699.

Peu après la fin du règne de Soliman, dès l'avènement de son fils Sélim II, les signes du déclin s'étaient déjà fait sentir. La défaite de Lépante n'en était que le signe avant-coureur. Et si Murad III faisait encore illusion (ses généraux battent la Perse), le sanguinaire Mehmed III (1595–1603) – qui ordonne d'exécuter ses 19 frères et son fils – doit lutter contre de constantes insurrections en Asie et des soulèvements à Istanbul même.

La Mosquée Bleue

Sous le règne du sultan Ahmed Ier (1603–1617), en guerre contre les Persans, l'Empire ottoman perd Erivan et Kars, avant que le sultan ne doive signer une paix désastreuse pour la Turquie. Construite sous son règne, la fameuse Mosquée Bleue (1609–1617), ou Sultan Ahmed Djami, occupe l'extrémité méridionale de l'Hippodrome d'Istanbul. Elle répond en quelque sorte à la basilique Sainte-Sophie voisine, et compte parmi les monuments les plus populaires de l'art turc. Elle n'apporte pourtant aucun élément nouveau par rapport aux dernières créations sinaniennes et ne se distingue que par un plus grand luxe de la polychromie et une volonté de grandeur.

C'est l'architecte Mehmed Agha qui en est l'auteur. L'œuvre qui relève d'un plan centré s'inspire directement du parti de la Shézadé, première mosquée sultaniale de Sinan, dont la salle de prière carrée se mue ici en un rectangle barlong. La caractéristique de l'édifice réside dans les six minarets qui en jaillissent. Leur disposition est unique et révélatrice de l'influence sinanienne: deux d'entre eux se dressent à la jonction entre la salle et la cour, comme à la Shézadé; deux autres marquent les angles antérieurs de la cour, selon un dispositif qui s'inspire de la Süleymaniyé; et les deux derniers jaillissent de part et d'autre du mur de la *kibla,* comme pour imiter la formule de la Sélimiyé d'Edirné.

Il n'en demeure pas moins que l'aspect extérieur de la Mosquée Bleue, ainsi que sa situation dominant la mer de Marmara, ont une fière allure. Avec sa cour plus large que profonde et comportant huit dômes en profondeur et neuf en largeur, l'édifice mesure 110 m de long sur 64 m de large et la salle de prière totalise 52 m de l'entrée au *mihrab.*

Outre la grande coupole centrale de 23 m de diamètre que contrebutent quatre demi-coupoles et qui repose sur quatre énormes piles cylindriques cannelées, la mosquée est pourvue de petits dômes aux quatre angles. Sur le plan architectonique, l'impression qui s'en dégage est celle d'une série de citations de l'œuvre sinanienne. Mais l'exercice est ardu: on ne peut se défendre d'une impression de

La Mosquée Bleue se détachant sur le Bosphore
En bordure de l'At Meydani – ou Place de l'Hippodrome –, la mosquée de Sultan Ahmed, construite de 1609 à 1617 par Mehmed Agha, dresse ses six minarets qui encadrent aussi bien la salle de prière que la cour à portiques. L'édifice reprend le plan type de la Shézadé de Sinan et de la Yéni Valide de Dawud Agha : autour de la coupole centrale, quatre demi-coupoles assurent la cohésion des structures. À droite, au premier plan, la *madrasa* de la *külliyé* de Sultan Ahmed.

Un grandiose portique sur cour
Les proportions de la mosquée de Sultan Ahmed – 110 m de long par 64 m de large – en font l'un des monuments majeurs de la période ottomane. Les deux minarets qui encadrent la cour, du côté de l'entrée, ne comptent que deux galeries supportées par des stalactites, alors que les quatre autres, cantonnant la salle de prière, en comptent trois.

lourdeur et de gaucherie – en particulier en ce qui concerne les quatre piles sur lesquelles retombent les pendentifs de la coupole centrale. À cet égard, il s'agit d'une création qui contraste nettement avec les œuvres de Sinan, limpides et aériennes.

L'élément neuf, à l'intérieur de l'édifice, réside dans le recours généralisé aux céramiques de faïence, auxquelles il doit son surnom de Mosquée Bleue: des carreaux tapissent tout l'espace à partir du niveau des galeries, hormis les surfaces couvertes de stalactites. De même, les multiples baies percées dans les murs et à la base des coupoles et des demi-coupoles sont pourvues de beaux vitraux polychromes. Grandeur, richesse, luxe et couleurs chatoyantes sont donc les caractères marquants de cette œuvre.

La façade monumentale
En pénétrant dans la cour de la Sultan Ahmed Djami d'Istanbul, on découvre l'impressionnante façade de la mosquée conçue par Mehmed Agha. La scansion des portiques et l'échelonnement des coupoles qu'encadrent les minarets, constituent une véritable réussite.

Un espace interne revêtu de faïence bleue
La Sultan Ahmed Djami doit son surnom de Mosquée Bleue aux quelque 20 000 carreaux de céramique revêtant les parois et les arcs de sa salle de prière. Le bâtiment reprend le schéma classique caractérisé par quatre demi-coupoles contrebutant le dôme.

Édifice utilitaire
Dans le domaine des caravansérails, le pouvoir ottoman poursuit l'effort des Seldjoukides, tant pour l'aménagement de gîtes d'étape que pour l'entretien des routes stratégiques. Au cœur de l'Anatolie, à Indjésu, en Cappadoce, le caravansérail datant de 1680 est pourvu d'une grande cour à portiques précédant la salle d'hiver.

Portique sur cour d'Indjésu
Les arcades à voûtes brisées et à larges nervures croisées du caravansérail d'Indjésu possèdent une pesanteur qui contraste avec les constructions seldjoukides.

Caravansérails et palais

Le style des relais routiers conçus pour les Seldjoukides en Anatolie est désormais révolu depuis trois siècles et demi. Mais le besoin d'assurer la sécurité du courrier et des marchandises traversant le pays reste une préoccupation constante. Aussi, sous le sultan Suleiman II, construit-on à Indjésu, en Cappadoce, un beau caravansérail ottoman, dit de Kara Mustafapacha (grand vizir de l'Empire), datant de 1680. La salle d'hiver, au fond d'une vaste cour ceinte de portiques voûtés, comporte une couverture à croisées d'ogives en bel appareil. Les trois travées transversales reposent sur une file de piliers carrés que surmontent des arcs brisés. Des tirants de fer assurent la stabilité.

Le long des murs, de larges banquettes surélevées, destinées au repos des voyageurs – les bêtes restent dans la partie médiane, en contrebas – sont pourvues de cheminées individuelles, mises à disposition tant pour le chauffage que pour la cuisine.

Du XVIIe siècle également, le caravansérail de Deliller, à Diyarbakir, non loin de la porte de Mardin, offre deux niveaux d'arcades massives précédant les chambres des voyageurs. Au mur, un décor noir/blanc joue d'assises alternées et de motifs

Page 203
De puissantes structures
La salle d'hiver du caravansérail d'Indjésu, de style ottoman, est une véritable «cathédrale» aux forts piliers supportant des arcades voûtées à l'aide de nervures croisées qui répondent aux arcs doubleaux. Des tirants de fer relient entre eux les piliers carrés sans ornementation. Contre les parois, des cheminées à usage individuel sont ménagées sous des hottes saillantes.

Un décor *ablak*
Le système bicolore décorant les murs du caravansérail de Diyarbakir, nommé Delliler Hani, construit en basalte au XVIIe siècle, se fonde sur l'alternance de pierres claires et foncées, ou décor *ablak*, comme dans l'architecture ayyubide et mamelouke.

Un caravansérail syro-ottoman
Avec ses deux étages de chambres, réparties autour de la cour, sous des voûtes dont les arcs participent du décor *ablak*, le caravansérail de Deliller Hani, à Diyarbakir, reflète l'influence de la Syrie voisine. Les travaux de restauration visibles ici ont rendu aujourd'hui à l'édifice sa remarquable qualité plastique.

géométriques dérivant de l'écriture arabe stylisée. De fait, dans cette région située non loin de la frontière syrienne, le style ottoman subit des influences locales, tant dans les formes que dans la manière de travailler les matériaux.

Le jeu des « contaminations » stylistiques est plus évident encore dans un étrange et saisissant bâtiment qui se dresse, tout à l'est de la Turquie, non loin de l'Ararat, sur le site de Dogubayazid. Il s'agit du palais d'Ishak Pacha, achevé vers 1784, qui formait la résidence princière de gouverneurs kurdes jouissant d'une semi-indépendance.

L'originalité de ce complexe sis en pleine montagne – pour des raisons évidentes de défense – réside dans le syncrétisme des courants les plus divers que l'on y discerne : derrière un portail en *pishtak* purement seldjoukide, avec niche à stalactites, les façades sur cour offrent de merveilleux encadrements sculptés dans un style qui évoque le travail arménien ou géorgien. Frises entrelacées, bandeaux animaliers, motifs à double symétrie formés d'arabesques formant un répertoire d'une infinie variété, font songer à des réminiscences de l'église de la Sainte-Croix d'Aghtamar, sur une île du lac de Van (915).

Au pied du mont Ararat
Contrôlant une passe stratégique entre l'Anatolie et la Perse, le Palais d'Ishak Pacha Saray, près de Dogubayazid, à l'extrémité orientale de l'Anatolie, est la réalisation d'un prince kurde, datant de la fin du XVIIIe siècle. Dans sa double enceinte se dressent le palais proprement dit et sa mosquée que surmonte un minaret.

La mosquée comporte une salle dont la couverture repose sur de fines colonnes soutenant des arcades et de petits dômes. Au fond, une coupole surmontant des trompes d'angles est éclairée par huit baies ménagées dans le tambour. Le minaret cylindrique à assises alternées rouges et blanches comporte une galerie à stalactites.

Derrière la mosquée, le souverain local s'est fait construire des appartements autour d'une cour intérieure, peut-être couverte d'une lanterne, que bordent, à gauche comme à droite, trois arcs reposant sur des colonnes. Une plinthe à motifs en chevrons noirs et blancs court autour de l'espace ouvert. Les arcades sur colonnettes octogonales sont surmontées d'arcs légèrement brisés, et les chapiteaux finement sculptés offrent une grande variété de motifs dérivant des stalactites.

Bref, le langage ornemental de l'Ishak Pacha Saray, traité dans un beau matériau rose, relève d'une remarquable imagination et sait associer des sources très diverses. Incontestablement, on est ici au carrefour de nombreux chemins, où confluent les influences de l'art ottoman et de la Perse, de l'Arménie et de la Géorgie, des Seldjoukides et des Syriens du Nord, pour ne citer qu'eux.

Aux confins arméno-kurdes
Chapiteau à stalactites, dans la manière ottomane et arcs à claveaux festonnés surmontés d'un tore ciselé se marient dans le palais d'Ishak Pacha, près de Dogubayazid.

Un fascinant mélange d'influences
Dans l'Ishak Pacha Saray convergent les styles de la Perse et de la Turquie de l'Est. Derrière une salle du palais qui a perdu sa couverture, se dressent la mosquée à dôme sur tambour et son minaret, dont l'appareil *ablak* joue des alternances de pierre claire et foncée. Cet art témoigne d'un éclectisme évident.

Page 207
Comme un «collage» de styles
Les colonnes octogonales à chapiteaux ornés de *mukarna*, les arcs légèrement brisés, les arcatures aveugles en plein cintre courant contre les parois, les fenêtres à encadrement rectangulaire, la haute plinthe à mosaïque géométrique *ablak* forment un extraordinaire répertoire stylistique au palais d'Ishak Pacha, qui fut achevé en 1784.

Multiplicité des thèmes ornementaux
Certains décors traités en relief dans l'appareil de l'Ishak Pacha Saray font songer aux techniques ornementales arméniennes. Eléments floraux, pampres et raisins jaillissant de canthares relèvent d'une symbolique traditionnelle.

Réminiscences et archaïsme
À la fin du XVIIIe siècle, le portail d'entrée du palais d'Ishak Pacha reprend les formes du langage seldjoukide, avec sa niche à stalactites sous l'arc d'un *pishtak* d'inspiration persane, avec son tore d'angle, ici transposé dans la pierre, alors qu'en Perse, il serait en brique.

Mosquée à coupole
Sous sa coupole à trompes d'angles, la salle de prière de la mosquée, dans l'Ishak Pacha Saray, allie, comme le palais, les arcs brisés et les arcatures en plein cintre. Derrière le portique à cinq baies se dressait – semble-t-il – la loge du personnage princier qui, à Dogubayazid, jouissait d'une large indépendance.

Salle hypostyle
Un curieux espace hypostyle, dans le palais d'Ishak Pacha, jouxte la mosquée proprement dite. Il se caractérise par une série de neuf voûtes et coupoles supportées par de fines colonnes.

Siège d'un gouverneur ottoman
Le Palais Azem à Hama, siège d'Asad el Azem, illustre *wali* de Hama , construite en 1742, comporte une terrasse surélevée en bordure de l'Oronte. Le style de cette maison noble relève des traditions ayyubide et mamelouke, dont il fait, avec les influences ottomanes, une synthèse originale.

Richesse et distinction
Le décor du portique d'entrée dans la salle de réception du Palais Azem à Hama joue des sols de mosaïque, des arcs à claveaux alternés, de l'appareil *ablak*, pour souligner le faste presque intime du lieu.

Symbole de splendeur
C'est sous la coupole à lanterne, avec ses pendentifs à *mukarna* qu'éclairent les 20 baies du tambour, que le maître des lieux recevait ses hôtes. De ce splendide habitat ne subsiste plus aujourd'hui qu'une carcasse qui devra subir des restaurations, suite aux destructions de 1982, lors de la révolte de la ville.

Un art foisonnant
Le Palais Azem à Hama – première moitié du XVIIIe siècle – comporte tous les signes du luxe propre au monde islamique: polychromie des parois aux placages de marbre, décor de boiseries dorées, coupole sur stalactites, bassin à jet d'eau murmurant, dans un espace de réception qui s'articule autour de trois pièces en *iwân*.

Les Palais Azem à Hama et Damas

Sous la puissance ottomane, en particulier à l'époque tardive, les gouverneurs des provinces lointaines se conduisent en roitelets, et se dotent de palais où ils font montre de leur richesse. Il en existait un bel exemple à Hama, en Syrie, très endommagé par les événements de 1982. Le Palais Azem, du nom du gouverneur Asad Pacha el Azem, *wali* de la place, dont l'aspect externe est presque sauvé, mais dont on ne peut plus qu'évoquer par des photographies antérieures à cette date fatidique la beauté un peu «baroque».

Cette richesse est d'ailleurs soigneusement cachée: la Beït ou Maison Azem (construite en 1742) n'est pas aisée à découvrir dans le dédale du vieux Hama. En outre, il faut gravir un étage par un escalier étroit pour déboucher sur une belle terrasse, en bordure de laquelle se dresse la façade à portique de la demeure. Des appartements, situés sur les arrières de l'édifice, on découvre une belle vue sur les rives de l'Asi (Oronte).

Le palais proprement dit se compose d'une somptueuse salle de réception à plan en forme de T renversé; à l'intersection des deux branches se trouve une coupole à lanterne qui repose sur quatre grands arcs à pendentifs tapissés de *mukarna.* La richesse des marbres polychromes, des frises à stalactites dorées, des plafonds de bois, dont les angles en nids d'abeilles créent une insensible transition entre le mur et la couverture, marquent une exaltation du luxe et une élégance extrême. Ce cadre de la vie quotidienne d'un haut personnage de province reflète la profonde transformation de l'architecture ottomane, au contact des œuvres érigées par les Ayyubides et les Mamelouks de Syrie.

La convergence stylistique de l'art ottoman avec celui des Mamelouks – vaincus en 1516 par Sélim Ier –, est un bon exemple de l'assimilation, par le vainqueur, des formes du vaincu; car le Palais Azem de Hama, plus encore que celui de Damas,

Le Palais Azem à Damas
Lorsque le *wali* de Hama est nommé gouverneur à Damas en 1749, et prend le titre de Asad Pacha el Azem, il édifie dans la capitale un nouveau palais, agrandi en fonction de son rang social nouveau: le *haremlik*, ou appartements privés sur cour, se développe à une vaste échelle, en conservant un caractère intime.

Un style fleuri
Délicatesse de l'ornementation de mosaïque de pierre polychrome, ornant les claveaux à crossettes des arcs, au Palais Azem de Damas.

Une rigueur de bon aloi
L'architecture du Palais Azem, à Damas, construit en 1749, marque une réelle émancipation par rapport aux formes et techniques ottomanes. Si le bâtiment revêt souvent plus de prestance que les kiosques du sérail d'Istanbul, il garde une certaine simplicité.

Un écoinçon ajouré
Le décor des portiques du Palais Azem, construit en 1749 à Damas, est associé aux fines colonnes des arcades polychromes. Les écoinçons se parent – en lieu et place des disques de porphyre ottomans – de petites baies circulaires festonnées qui ont des allures d'*oculus*.

montre la continuité, en Syrie, de l'architecture créée par la puissante «dynastie des Esclaves» du Caire. Le traitement des murs en marbre polychrome et non en céramique de faïence, des frises de stalactites, des plafonds de charpente dorée, des chapiteaux sont – deux siècles après la chute des Mamelouks – restés semblables à ce qu'ils étaient sous les sultans Kait Bey ou el-Ghouri.

Construit en 1749 par le même Asad Pacha el Azem, devenu entre temps gouverneur ottoman de Syrie, le Palais Azem de Damas a des dimensions autrement vastes: il s'articule autour d'une grande cour, le *haremlik,* au centre de laquelle des pièces d'eau et de beaux arbres apportent de la fraîcheur. Les bâtiments qui s'ordonnent en bordure de cet espace ouvert se composent de portiques et de salles d'apparat, ainsi que d'appartements comportant un petit *hammam.* Le style décoratif, très fouillé comme à Hama, joue de l'appareil polychrome et des boiseries. Les pièces, relativement petites, conservent une sobriété qui rappelle les palais d'Istanbul. Mais l'aspect frappant de ces demeures syriennes réside peut-être dans la modestie de l'aspect extérieur donnant sur la rue: rien, ou presque, ne signale à l'œil la présence d'un bâtiment seigneurial.

«Luxe, calme et volupté»
Se mirant dans le bassin qui accueille le visiteur à l'entrée du Palais Azem de Damas, le portique crée un décor de rêve dans cette demeure turco-arabe du milieu du XVIIIe siècle.

Un labyrinthe d'eau
Les fontaines du Palais Azem de Damas, construit en 1749, offrent d'ingénieux jeux d'eau: dans le monde islamique, le murmure des ruisseaux, la présence des bassins et le miroir des lac cristallins constituent le luxe par excellence.

Le Divan de Beït ed-Din
La salle de réception de l'émir s'organise autour de larges *divan*, de part et d'autre d'une sorte de véranda munie de vitraux, où devait se tenir le maître des lieux. Le *divan*, dans la tradition ottomane, est le siège du «gouvernement», c'est-à-dire du sultan ou de son représentant.

Le faste à la libanaise

Toujours parmi les édifices créés sous la domination ottomane au Proche-Orient, le palais de Beït ed-Din, édifié vers 1810 dans les montagnes du Liban pour l'émir Béchir II, accentue encore l'aspect éclectique et enchanteur de cette architecture tardive.

Comme au Palais Azem de Damas, le «château» de Beït ed-Din s'organise autour d'une belle cour à doubles portiques superposés, dont les arcades fines et aériennes sont soutenues par des colonnettes octogonales. Une fontaine centrale commande la perspective. Le *divan,* ou salle de réception, est bordé de fenêtres et s'achève par une sorte de véranda de bois à vitrages polychromes. Dans certains espaces couverts, mais ouverts en façade, qui forment des manières d'*iwân,* les lieux de réunion évoquent les usages de la Perse. Quoi qu'il en soit, l'architecture d'un tel palais est intéressante, en ce qu'elle atteste une profonde évolution et ne doit plus grand chose au monde ottoman.

À gauche
Un palais libanais
Résidence d'été de l'émir Béchir II, gouverneur druze du Liban pour le compte des Ottomans de 1810 à 1840, le palais de Beït ed-Din se situe dans la tradition des palais damascènes. Il se déploie à flanc de colline autour d'une vaste cour (*meïdân*), sur deux niveaux de portiques d'une remarquable élégance.

Baroquisation des formes
À partir de la fin du XVIIIe siècle, l'influence occidentale gagne les arts ottomans. La mosquée de Nusretiyé, dans le quartier de Tophané, à Istanbul, construite en 1823, adopte les formes néobaroques qui sont caractéristiques d'une «européanisation» des arts turcs.

Le «baroque» turc à la mosquée de Nusretiyé

Si, dans les provinces de l'Est méditerranéen, les influences locales supplantent progressivement l'esthétique ottomane, il n'en va pas de même à Istanbul. Dans la capitale, au contraire, à l'aube du XIXe siècle, c'est l'Occident qui impose sa marque dans l'Empire ottoman. L'attrait de l'Europe, en plein essor, et qui oppose aux Turcs un dynamisme qui bat en brèche l'empire des sultans de la Sublime Porte, exerce son attraction irrésistible sur les goûts et les formes de la capitale.

L'exemple le plus caractéristique de ce courant que l'on pourrait qualifier de «baroquisant» dans l'architecture ottomane tardive est peut-être la mosquée de Nusretiyé à Tophané, dont les éléments décoratifs et la modénature relèvent d'un «style» Louis XV attardé, qui n'est pas sans charme. L'association des structures typiquement ottomanes – coupole, minaret, mur-tympan – et des formes néo-baroques occidentales aboutit à un style hybride qui ne manque pas d'intérêt. Cette mosquée de Nusretiyé, construite de 1822 à 1826, sous le règne du sultan Mahmud II

Un vocabulaire occidental
Si les structures de la mosquée ottomane se revêtent d'un habit baroquisant, les éléments essentiels – *mihrab* ou *minbar* - restent inchangés dans la Nusretiyé Djami de Tophané, à Istanbul.

Page 219
Salle à coupole
Même en se parant d'un décor baroquisant, la Nusretiyé Djami (1823), à Istanbul, conserve une structure «classique» à quatre murs-tympans supportant la coupole par l'entremise de pendentifs lisses. L'art ottoman tardif (1823) n'est guère affecté, du point de vue architectonique, par les apports du mouvement baroque qui se fondent sur des parois curvilignes.

(1808–1839) a pour architecte un nommé Kirkor Balyan, issu d'une vieille famille de bâtisseurs arméniens. Privée de cour, cette mosquée comporte une salle carrée que domine une loge du sultan, alors que son chevet, qui contient le *mihrab,* fait saillie à l'extérieur. La coupole qu'éclairent 24 baies ouvertes dans le tambour repose sur quatre grands arcs et des pendentifs lisses.

Ce style qui atteste un éclectisme occidentalisant se trouvait déjà dans une œuvre, comme la Nur-u Osmaniyé Djami, achevée en 1755 près du Grand Bazar par Osman III (1754–1757). Le plan, avec sa cour en hémicycle polygonal à portiques, constitue une révolution par rapport aux créations antérieures. Conçue par un architecte nommé Simon Kalfa, elle présente aussi une salle de prière carrée, surmontée d'une unique coupole, avec *mihrab* dans une abside semi-circulaire.

Un même syncrétisme turco-occidental caractérise la mosquée de Dolmabahce, appelée aussi Mosquée de Bezmialem Sultan, mère du sultan Abdülmecid (1839–1861) qui l'acheva en 1853. Comme la mosquée de Tophané, elle présente une salle carrée coiffée d'une coupole unique et deux minarets qui l'encadrent. Mais le langage formel est nettement occidentalisé.

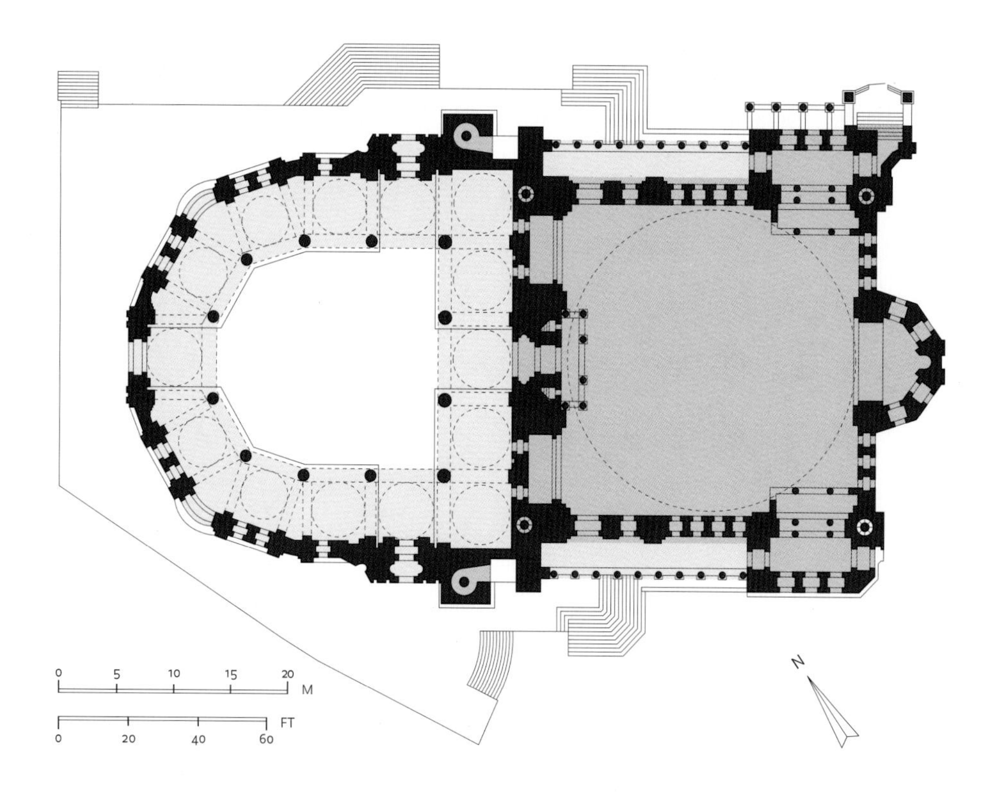

Un plan «dans le vent»
Concession aux tendances nouvelles, la cour de la Nur-u Osmaniyé Djami, d'Istanbul, construite par Osman III au milieu du XVIIIe siècle, comporte une cour en hémicycle qui contraste avec le plan orthogonal de la salle de prière. Cette cour répond aux formules baroques dont s'inspirent alors les architectes turcs.

La céramique, la miniature et le décor ottomans

S'il est une influence déterminante qui s'est exercée sur l'esthétique des Seldjoukides et des Ottomans, c'est évidemment celle de la Perse. On y a fait allusion à propos de certains éléments architecturaux comme les stalactites et *mukarna* issus des créations des Grands Seldjoukides d'Ispahan; on évoquera aussi les faïences polychromes dues à des artisans persans, déportés en Anatolie par les troupes ottomanes après la victoire de Tchaldiran en 1514. La prise de Tabriz est, à cet égard, fondamentale: elle a pour conséquence le développement à Iznik d'une production autochtone. Pas moins de sept cents familles de faïenciers persans sont dirigés par Sélim Ier vers l'Anatolie pour y implanter les techniques de la céramique qui ornera non seulement les mosquées de Sokullu et d'Ahmed Ier à Istanbul, ou la Sélimiyé d'Edirné, mais également la table des sultans, dont les plats, bouteilles et coupes sont produits pour la Cour.

Or, cette céramique véhicule avec elle un répertoire floral issu de l'art timuride de Perse, dont l'esthétique vigoureuse et raffinée sera adaptée au langage turc, tout en conservant de ses origines persanes les traits caractéristiques que l'on reconnaît aux motifs floraux – œillets, roses, tulipes, renoncules et pampres – formant une végétation luxuriante. Car, avec cet essor du décor persan au XVIe siècle, les thèmes inspirés par la nature ne tardent pas à se substituer, dans le répertoire turc, aux schémas géométriques qui avaient cours dans le premier art ottoman.

Il est un autre domaine qui a bénéficié des apports des Timurides: l'art du livre, et en particulier la miniature. En effet, après des débuts laborieux, au temps des Seldjoukides et des premiers Ottomans, l'éclosion d'une peinture de Cour se manifeste au lendemain de la prise de Tabriz en 1514. En effet, plusieurs peintres et miniaturistes d'origine persane arrivent dès 1515 au sérail d'Istanbul, pour y former une véritable école, à la manière des *scriptoria* antiques.

En réalité, si les premier livres enluminés turcs, au milieu du XVe siècle, traduisent l'influence du style de Shiraz, ils ne tardent pas à refléter aussi les formes usitées chez les maîtres de Hérat. Mais cette influence de la Perse s'accentue au XVIe siècle avec les ateliers de la Cour travaillant à Top Kapi. Les plus beaux manuscrits datent du règne de Soliman le Magnifique et de ses successeurs directs,

Le langage des fleurs
La période ottomane donne naissance à une foule d'éléments décoratifs – beaucoup empruntés à la Perse – que les céramiques d'Iznik portent à un degré de perfection remarquable. Ce panneau en carreaux de faïence de la Kilij Ali Pacha Djami (1580) d'Istanbul marie tout le répertoire floral ottoman.

L'enchantement floral
Les carreaux ottomans du XVIe siècle comportent une inépuisable richesse de motifs végétaux qui font de la mosquée un jardin de Paradis.

jusqu'à Murad III (1574–1595). C'est une éclosion qui peut se comparer à celle de l'époque des Safavides d'Ispahan. La qualité des œuvres est souvent remarquable.

Parmi celles-ci, le «Süleyman-Namé», ou «Livre de Soliman» conservé à la Bibliothèque de Top Kapi: achevé en 1558, il couvre le règne du sultan de 1520 à 1551. Ses cinq volumes constituent un monument, même si le format (225 x 145 mm) n'est pas très important. Le texte est rédigé par un chroniqueur nommé Matrakçi Nasuh, qui fut écuyer du sultan. Quant aux miniatures, elles sont exécutées par plusieurs artistes de formation persane qui ont travaillé aux côtés d'un peintre hongrois, ce que traduit l'aisance des figurations de châteaux, de villes et de personnages occidentaux.

Toutes les conventions de la miniature persanes sont présentes dans ces illustrations superbes. On reconnaît, par exemple, la «perspective» étagée, déployée, ainsi que les teintes imaginaires. Les représentations d'architecture y sont d'une venue très particulière, haute en couleur, et somme toute irréalistes. Le texte est d'ailleurs écrit, précisément, en persan, par un calligraphe nommé Chirvani, dont le nom indique l'origine en Iran septentrional, sur la côte ouest de la mer Caspienne. Mais il existe aussi d'autres sources relatant la vie de Soliman, telle la chronique d'Ahmed Feridoun Pacha, qui eut les honneurs de l'illustration en grand format (les pages ont 300 x 200 mm). L'ouvrage est dédié au grand vizir Sokullu en 1568–1569.

La création la plus originale de la miniature turque est peut-être le «Siyer-i Nébi», ou «Vie de Mahomet» qui comportait six volumes réalisés sous le règne de Murad III, à la fin du XVIe siècle. Elle se fonde sur un texte vieux de 200 ans, écrit durant la seconde moitié du XIVe siècle, à partir du récit d'un aveugle, nommé Darir, d'Erzurum. Il s'agit donc du récit que fit Darir au sultan mamelouk du Caire Malik Mansur. Cette vaste biographie illustrée du Prophète est entreprise au palais même du sultan Murad III. Il fallait, en effet, l'autorité du tout-puissant souverain pour imposer une série considérable d'enluminures relatives au Prophète. Car l'interdit des images s'applique essentiellement à Mahomet et aux symboles divins. C'était donc transgresser les règles les plus sacrées que d'accepter de faire faire les quelque 814 illustrations ayant trait à la vie du fondateur de la religion islamique.

Des six volumes du «Siyer-i Nébi», les tomes I, II et VI appartiennent à la Bibliothèque de Top Kapi, à Istanbul, le tome III est à la National Library de New York, et le tome IV à la Chester Beatty Library à Dublin. Quant au tome V, il est perdu, après avoir appartenu, jusqu'à la Deuxième Guerre mondiale, à la bibliothèque de Dresde.

Datant également du règne de Murad III, un autre manuscrit célèbre retient tout spécialement l'attention: le «Hünernamé». Ce très grand ouvrage (490 x 310 mm), dont seuls les deux premiers tomes nous sont parvenus, traitant de l'histoire des Ottomans, est illustré par le Maître Osman. La qualité des grandes peintures qui y figurent est homogène, et, cette chronique, due à la plume de Sayid Loqman, historiographe du Sultan, marque l'apogée de la peinture consacrée aux annales turques. Sur un fonds persan, qui ne cesse de subsister comme un leitmotiv dans la miniature ottomane, on constate une turquisation progressive du style de la représentation. L'observation est souvent plus libre, spontanée et même humoristique que dans les classicismes timuride ou safavide, où les conventions imposent une vision aristocratique.

Au même titre que l'architecture, l'art pictural du XVIIe siècle s'occidentalise et perd, peu à peu, de son originalité. Cette floraison de manuscrits enluminés atteste, en revanche, comme la calligraphie, comme les thèmes floraux des revêtements de faïence, comme le décor à arabesques des tapis, comme l'ensemble des arts dits mineurs de l'époque ottomane, l'influence sous-jacente de l'esthétique élaborée par la Perse. Et cette remarque est d'autant plus surprenante que, pour sa part, l'architecture s'est presque totalement libérée du langage formel persan – hormis les thèmes des stalactites, des panneaux à claire-voie ou du décor en général.

Page 222 en haut
La «Vie de Soliman»
Parmi les manuscrits célèbres du sérail de Top Kapi, le «Süleyman-Namé», en cinq volumes, achevé en 1558, retrace, avec un luxe de détail extraordinaire, les réceptions, les campagnes et les succès du sultan. Cet art, héritier du style timuride, permet de restituer le protocole de cour au milieu du XVIe siècle. (Bibliothèque du Musée de Top Kapi Saray, Istanbul)

Page 222 en bas
L'image du Prophète
Bravant l'interdiction islamique, le cycle du «Siyer i-Nébi», ou «Vie de Mahomet», réalisé en six volumes sous le règne de Murad III, représente les moments marquants de l'existence du Prophète. Cette miniature – qui enveloppe de flammes d'or la personne de Mahomet, dont le visage est caché par un voile – donne également une représentation de son épouse Fatima. (Bibliothèque du Musée de Top Kapi Saray, Istanbul)

À gauche
Musique et danse à la Cour
Le «Süleyman-Namé» de Top Kapi dépeint une fête donnée par le sultan, pour qui des musiciens et des danseurs organisent, dans un cadre fastueux, une réception traitée selon les conventions de la miniature timuride. (Bibliothèque du Musée de Top Kapi Saray, Istanbul)

À droite
Soliman en campagne
Cette scène du «Süleyman-Namé» montre le sultan dans son camp, lors du siège d'une forteresse chrétienne en Hongrie: sous sa tente d'apparat, Soliman fait part de ses ordres à ses troupes, alors que les défenseurs du château, casqués, attendent l'assaut. (Bibliothèque du Musée de Top Kapi Saray, Istanbul)

Conclusion

L'originalité de l'architecture turque

Le décor seldjoukide
Caractéristique du foisonnement de l'ornementation à l'époque des Seldjoukides de Roum, ce détail du portail du caravansérail de Sultan Han de 1229, près d'Aksaray, combine entrelacs, stalactites et frises avec la colonne «torse» à cannelures en zigzag et le chapiteau à feuilles d'acanthes stylisées.

De ce survol qui couvre quelque six cents ans d'activité architecturale chez les Turcs seldjoukides et ottomans, il importe de tirer la leçon, tant par rapport à d'autres courants de l'art islamique, que dans le cadre général du legs que constitue l'histoire des principaux bâtiments de l'humanité.

À l'époque des Seldjoukides de Roum, l'évolution de l'architecture musulmane découle d'un art de bâtir fondé sur la pierre de taille et sur la création d'espaces internes dont la conception s'éloigne de plus en plus des formules hypostyles propres aux Arabes, pour élaborer un langage de salles voûtées. L'influence du monde romano-byzantin est décisive à cet égard, en même temps que celle du climat anatolien très contrasté: étés torrides et secs, hivers très froids et même neigeux.

Ces deux composantes se conjuguent pour donner naissance à des bâtiments de plus en plus vastes, aussi bien en ce qui concerne les mosquées et les *madrasa,* que les caravansérails. Les salles d'hiver de ces derniers attestent le rôle joué par les bâtisseurs arméniens et syriens dans les œuvres des sultans seldjoukides. Par leur entremise, c'est en définitive, le legs antique qui forme la base à partir de laquelle se développe l'art médiéval anatolien, où se perpétuent les traditions de la technologie romano-byzantine.

Mais l'adoption de l'arc brisé et d'un système ornemental géométrique font évoluer les formes d'une part vers une grande rigueur du plan et de l'autre, vers une efflorescence du décor. L'émiettement du pouvoir sous les émirats turcomans transforme le langage de la construction. Suite à l'émergence de la tribu des Osmanli, des contacts plus étroits avec les témoignages du monde byzantin et le fait que des églises orthodoxes sont parfois transformées en mosquées contribuent à la création d'espaces longitudinaux – et non plus transversaux ou barlongs qui étaient jusque-là préférés par la religion musulmane. Un type nouveau de mosquées fait donc son apparition: il se caractérise par un recours systématique à la coupole et par des espaces formés de deux salles disposées en file. C'est le cas pour les bâtiments religieux de Bursa. Ce trait disparaît progressivement avant même la chute de Constantinople, avec le développement de la salle unique, carrée, coiffée d'une coupole hémisphérique. Puis l'exemple majestueux et formidable de Sainte-Sophie hante les formes architecturales du monde ottoman. Aussi bien Hayreddin que Sinan s'attachent à tirer les leçons de cet impérieux passé pour s'en inspirer, tout en le métamorphosant.

Les réussites éclatantes de Bayazid II, puis de Soliman, attestent l'extraordinaire jeu d'attraction-répulsion qu'exerce le prototype byzantin sur le concept des architectes turcs du XVIe siècle. Mais cette époque est aussi celle de la Renaissance en Occident, dont le rayonnement ne peut manquer d'influer sur l'Empire ottoman, avec lequel les nations de la Sainte-Ligue sont en compétition. Quel que soit l'antagonisme entre les deux parties du monde qui se partagent l'aire des grandes civilisation du passé, il subsiste toujours le trait d'union des marchands et des ambassades: Gênes comme Venise ont des comptoirs chez les Ottomans, et ces derniers

Faste impérial
Détail du décor surmontant la loge du sultan à la Süleymaniyé: le plus puissant souverain du monde ottoman a réduit à l'essentiel le décor emblématique dans sa mosquée d'Istanbul.

Page 227
Symbole de l'architecture ottomane
Cette cascade de dômes qu'offre la mosquée de Sultan Ahmed, à Istanbul, exprime bien le développement et les applications de la coupole qui font la gloire de l'art turc.

tissent des liens avec les artistes italiens qu'ils invitent au sérail, ou avec les maîtres de forges impériaux qu'ils appellent à Istanbul afin de disposer d'une artillerie efficace sur les champs de bataille.

Des traités s'esquissent, en particulier avec François Ier. Les idées comme les gens voyagent. Des contacts fructueux se nouent. Il en résulte des parentés, des similitudes souvent frappantes – pas toujours absolument contemporaines d'ailleurs: on songe aux arcades sur cour de la mosquée de Bayazid II à Edirné, comparées à celles de l'Hôpital des Innocents, à Florence, par Brunelleschi, ou aux plans centrés de Sinan, mis en parallèle avec Santa Maria della Consolazione de Todi, peut-être de Bramante. Dans cette perspective, la relative stabilité du pouvoir chez les Ottomans a favorisé la continuité du travail des architectes: en règle générale, un seul et même auteur planifie, réalise et achève une mosquée et sa *külliyé,* alors qu'en Italie les grandes entreprises – comme Saint-Pierre de Rome – sont l'objet de ruptures, de changement de concepteur, de problèmes liés à des crises financières qui immobilisent le chantier et qui perturbent l'unité d'une création.

En réalité, ce qui frappe dans l'architecture du XVIe siècle, chez les Ottomans, c'est la profonde cohérence des édifices: de la base au sommet, des règles et des formes s'imposent avec une vigueur, une logique et une unité qui forcent l'admiration. Il y règne un esprit axiomatique et déductif totalement conséquent, que l'on ne retrouve peut-être, avec autant de rigueur, que chez un Michel-Ange ou chez un Palladio. C'est ce caractère d'évidence qui fait la perfection du langage sinanien et qui conduit l'architecte à rechercher sans cesse le plus grand dépouillement des formes – volumes et espaces – fût-ce au détriment du décor – pour ne laisser subsister de l'architecture qu'une épure lumineuse: un hymne à la beauté géométrique et logique, une harmonie spatiale qui fige les rythmes, les proportions et les mesures en une démonstration radieuse, comme suspendue hors du temps, dans les certitudes «monolithiques» de la splendeur immanente.

Tableau chronologique

Ankara, mihrab de la Mosquée Arslan Hane

Détail de la Grande Mosquée, à Diyabakir

Monuments

VIIIe siècle	Mardin: Ulu Djami, 1er état arabe
	Diyarbakir: mosquée, 1er état arabe
après 1091	Diyarbakir: transformation de la mosquée
1100	Sivas: Ulu Djami
1155	Silvan: Ulu Djami
	Konya: Ala ed-Din Djami, 1er état, achevée, fin en 1220
1192	Tercan: Mama Hatun Kümbet
1217	Sivas: la Chifahiyé Madrasa
1218	Caravansérail Hékim Han

622–1100
L'irruption des Turcs

1100–1220
Intervention des Croisés

Événements

622	L'Hégire: début de l'Islam
636	L'Islam en Asie Mineure
751	Les Arabes battent la Chine au Talas
962	Le sultanat des Ghaznévides
	Nicéphore Phocas reprend Alep
1038–1063	Toghrul Beg, sultan turc
1051	Toghrul Beg prend la Perse
1055	Toghrul Beg à Bagdad
1063–1073	Alp Arslan, sultan turc
1071	Les Seldjoukides battent les Byzantins à Mantzikert
1073–1092	Malik Shah sultan turc
1077	Sultanat de Roum
1081	Suliman, prince de Nicée (Iznik)
1097	Iconium (Konya): capitale des Seldjoukides de Roum
1099	Les Croisés à Jérusalem
1155–1192	Kilij Arslan II, sultan
1176	Les Seldjoukides battent les Byzantins à Myrioképhalon
1190	Troisième Croisade: les Croisés à Konya
1192–1196	Keyhüsrev Ier, sultan, unifie l'Anatolie
1204	Prise de Constantinople par les Croisés
1204–1210	Deuxième règne de Keyhüsrev Ier
	Invasion mongole
1219–1236	Keykobad à Beychéhir

Ala ed-Din Djami, à Nigdé

Konya, la coupole de la Büyük Karatay Medrese

Sadeddin Han, portail du caravansérail

1221 Konya: muraille d'enceinte
1223 Nigdé: Ala ed-Din Djami
1224 Kayseri: la Citadelle
1229 Sultan Han (près d'Aksaray)
1230 Antalya: Yivli Minare
1232 Sultan Han (près de Kayseri)
1235–1236 Sadeddin Han (près de Konya)
1236–1246 Kirk Göz Han (près d'Antalya)
1237 Kayseri: Huand Hatun Djami
1242 Agzikara Han (à l'est d'Aksaray)
1246–1249 Horozlou Han (près de Konya)
1250 Sari Han (près d'Avanos)

1220–1250
Floraison seldjoukide

1221–1237 Keykobad Ier, sultan
1237–1246 Keyhüsrev II, sultan
Invasion mongole
1243 Keyhüsrev battu par les Mongols à Kösedag: le sultanat en tutelle

Sari Han près d'Avanos, salle du caravansérail

1251 Konya: Büyük Karatay Medrese
1253 Erzurum: Cifte Minare Medrese
1255 Erzurum: Hatuniyé Türbési
1265 Konya: Indje Minare Medrese
1271 Sivas: Gök Medrese; Cifte Minare Medrese; Muzaffar Bürüciyé Medresesi
1275 Kayseri: Döner Kümbet
1289 Ankara: mosquée d'Arslan Hane
1296 Beychéhir: Echrefoglou Djami

1250–1300
L'apogée artistique

vers 1250 Un représentant mongol gouverne au côté d'un sultan turc
1284–1308 Keykobad III, dernier sultan seldjoukide
1299–1324 Osman Ier en Bythinie

Erzurum, arcades de la Cifte Minare Medrese

1312 Nigdé: Hudavend Hatun Türbési
1339 Kayseri: Köshk Medrese

1300–1350
L'émergence des Ottomans

1326 Fin du règne d'Osman qui fonde la dynastie des Ottomans; prise de Bursa, qui devient la capitale
1326–1359 Règne d'Orhan Gazi qui organise la puissance ottomane
1331 Prise de Nicée (Iznik)
1346 Jean VI Cantacuzène donne sa fille en mariage à Orhan

Mosquée en bois d'Echrefoglou, à Beychéhir

Muraille en basalte de Kayseri

Edirné, hôpital de la *külliyé* de Bayazid II

1350–1420
Les débuts ottomans

1358 Gevash: Halime Hatun Türbé
1376 Manisa: Ulu Djami
1378 Iznik: Yéchil Djami
1396 Bursa: Ulu Djami
1391–1400 Bursa: Bayazid Yildirim Djami
1404 Balat: Mosquée d'Ilyas Bey
1419 Bursa: Yéchil Djami

1360–1389 Murad Ier, sultan
1361 Prise d'Andrinople
1366 Edirné, capitale des Ottomans
1393 Les Bulgares soumis
1389–1403 Bayazid Ier Yildirim, sultan
Byzance assiégée
1402 Tamerlan vainc Bayazid
Lutte entre les fils de Bayazid
1405 Mort de Tamerlan
Interrègne
1413–1421 Mehmed Ier, sultan

Ulu Djami, ou Grande Mosquée de Manisa

1420–1470
La prise de Constantinople

1421 Bursa: Yéchil Türbé
1437 Bursa: Muradiyé Djami
1337–1447 Edirné: Ütch Chereféli Djami
1451 Bursa: Türbé de Murad II
1452 Istanbul: Rumeli Hisar
1466 Bursa: Murad Pacha Djami
1470 Istanbul: 1ère mosquée de Fatih et sa *külliyé*

1421–1444 Murad II, sultan
1422 Constantinople assiégée
1446–1451 2e règne de Murad II
1448 Prise de la Serbie
1444–1446 Mehmed II, 1er règne
1451–1481 Mehmed II Fatih, le Victorieux
1453 Prise de Constantinople (Istanbul)

1470–1550
La puissance des Ottomans

1484–1488 Edirné: *külliyé* de Bayazid II par Hayreddin
1486 Amasya: mosquée de Bayazid II
1489–1588 Vie de l'architecte (*mimar*) Sinan de Kayseri
1501–1506 Istanbul: mosquée du sultan Bayazid II par Hayreddin
1522 Istanbul: mosquée de Sélim Ier terminée
1543–1548 Istanbul: Shézadé Djami
1547 Décision d'ériger la Süleymaniyé

1481–1512 Règne de Bayazid II
1485–1491 Bayazid II battu par les Mamelouks du Caire
1512–1520 Règne de Sélim Ier
1514 Sélim triomphe des Perses à Tchaldiran
Prise du Haut-Euphrate
1516 Prise de l'Empire des Mamelouks: le sultan turc devient calife
1520–1566 Règne de Soliman le Magnifique
1521 Prise de Belgrade
1534 Prise de Tabriz et de Bagdad
1541 Annexion de la Hongrie
1548 Entrée dans la ville de Van

Loge du sultan à la Yéchil Djami de Bursa

Intérieur de la Süleymaniyé à Istanbul

Bibliothèque de Top Kapi Saray à Istanbul

1550–1580
L'apogée artistique

1553 Damas: Tekké de Soliman
1556 Istanbul: *hammam* d'Haseki Hürrem (Roxelane)
1550–1557 Istanbul: Süleymaniyé
1550–1562 Istanbul: Kara Ahmed Pacha Djami
1563 Aqueduc d'Uzunkemer
1565 Istanbul: Mihrimah Djami terminée
1566 Istanbul: Türbé de Soliman
1571 Istanbul: Sokullu Djami
1568–1574 Edirné: Sélimiyé Djami
1574 Konya: Sélimiyé Djami
1577 Istanbul: Azap Kapi Djami

1565 Échec ottoman devant Malte
1565–1579 Sokullu, grand vizir
1566 Mort de Soliman
1566–1574 Règne du sultan Sélim II
1571 Désastre de Lépante: la flotte turque est anéantie
1574–1595 Règne du sultan Murad III

Coupole de la Sélimiye de Sinan à Edirné

1580–1620
Un lent déclin esthétique

1582 Istanbul: Kilij Ali Pacha Djami
1597 Istanbul: Yéni Valide Djami commencée
1609–1617 Istanbul: Ahmed Djami ou Mosquée Bleue commencée
1617 La Mosquée Bleue achevée

1594 Les Habsbourg se libèrent du tribut
1595–1603 Mehmed III, sultan
1603–1617 Ahmed Ier, sultan

Mosquée Bleue de Sultan Ahmed à Istanbul

1620–1860
Les derniers feux ottomans

1635 Istanbul: Revan Köshku
1638 Istanbul: Bagdad Köshku
1680 Indjésu: Kara Mustafapacha Hani
1703 Istanbul: Sofa Köshkü
1718 Istanbul: Bibliothèque de Ahmed III du Top Kapi Saray
1742 Hama: Palais Azem
1749 Damas: Palais Azem
1755 Istanbul: Nur u-Osmaniyé
1784 Dogubayazid: Ishak Pacha Saray
1810 Beït ed-Din: palais
1823 Istanbul: Nusretiyé Djami

1656 Les Köprülü, vizirs détiennent le pouvoir jusqu'en 1710
1669 Prise de la Crète
1683 Échec des troupes ottomanes devant Vienne
1699 La Sublime Porte abandonne la Hongrie et la Dalmatie
1736 La Sublime Porte attaquée par la Russie
1739 Guerre avec l'Autriche
Paix de Belgrade avec la Russie et l'Autriche
1757–1774 Mustafa III, sultan
1768–1774 Guerre contre la Russie
1774–1789 Abdülhamid Ier
1789–1807 Sélim III

Glossaire

Abbassides: deuxième dynastie des califes de l'Islam qui, en 750, succède aux → Omeyyades de Damas. La mise à mort du dernier calife abbasside par les Mongols en 1258 ne fait qu'entériner la perte de l'autorité effective, perceptible dès la fin du Xe siècle.

Ablutions: dans le cadre des cinq prières quotidiennes prescrites par le → Coran, les ablutions font partie des mesures de purification rituelle qui doivent précéder la participation au recueillement et à la prosternation.

Alvéoles: éléments constitutifs de la structure dite en «nid d'abeilles» formant les stalactites. Dérivant de la subdivision des trompes d'angles en triangles sphériques, disposées en encorbellement les unes audessus des autres, les alvéoles perdent progressivement leur caractère structurel pour ne plus comporter qu'un aspect ornemental.

Ayyubides: dynastie musulmane indépendante, fondée par le Kurde Salah ed-Din, ou Saladin. Elle règne de 1171 à 1260 sur la Syrie, la Haute-Mésopotamie, l'Égypte et les villes saintes de La Mecque et de Médine, ainsi que sur le Yémen.

Bagratides: dynastie autochtone qui règne sur l'Arménie de 885 à 1079.

Basileus, pl. basileïs: titre royal ou impérial antérieur à Alexandre, que portent les souverains byzantins dès 650 après J.-C.

Berceau: caractérise une voûte à profil semi-circulaire, c'est-à-dire en plein cintre. Le berceau est brisé lorsqu'il présente un profil dont les surfaces se rejoignent en formant un angle au faîte.

Calife: chef de la communauté islamique qui s'inscrit dans la lignée des successeurs du Prophète. Il est le «Commandeur des croyants». Les sultans turcs ottomans sont → califes à partir du règne de Sélim Ier qui s'empare de l'Égypte des Mamelouks en 1516.

Cami: → Djami.

Caravansérail: en pays musulman, halte ou relais fortifié sur les routes du commerce ou du pèlerinage. Les caravansérails, ou → khan des Turcs seldjoukides, puis ottomans, jalonnent les étapes des caravanes de chameaux qui parcourent une distance quotidienne de 25 à 30 km.

Carène (voûte en): se dit d'une voûte en arc brisé.

Chiites: adeptes de la religion musulmane qui se fondent sur la tradition représentée par Ali, époux de Fatima (fille du Prophète), en qui ils voient l'héritier de l'autorité califale revenant aux descendants directs de Mahomet.

Circumambulation: pratique religieuse qui consiste à faire le tour d'un lieu sacré en signe de vénération et de piété. Chez les musulmans, elle s'effectue en particulier autour de la Kaaba, à La Mecque, et des mausolées où sont vénérés de hauts personnages de l'Islam.

Claveau: élément architectural en forme de coin, qui entre dans la construction d'un arc ou d'un linteau en plate-bande. Synonyme de voussoir.

Coran: littéralement, la «récitation»: c'est le livre sacré de l'Islam, qui réunit les enseignements du Prophète Mahomet.

Courtine: dans une enceinte, mur rectiligne entre deux tours saillantes.

Cul-de-four: se dit d'une couverture en forme de demi-coupole surmontant une niche ou disposée aux angles d'une coupole sur → trompes.

Danishmendites: tribu turque formant un émirat du nord-ouest de l'Anatolie, qui règne de la fin du XIe siècle à 1178 et que détruit le sultan Kilij Arslan II.

Derviches: moines mendiants musulmans qui se soumettent à une règle mystique.

Dikka: estrade dressée dans la mosquée, du haut de laquelle un officiant conduit la prière.

Divan (ou Diwan): terme persan désignant le Conseil du souverain.

Djami: terme arabe signifiant «qui rassemble» et qui désigne la mosquée de congrégation.

Djihad: terme arabe désignant la guerre sainte, dirigée contre les infidèles.

Émir: titre arabe (*amir*) qui désigne le détenteur d'un commandement militaire, puis un gouverneur de province

Ghazi: terme arabe désignant les combattants musulmans contre les infidèles; en Turquie, titre accordé aux guerriers victorieux.

Ghaznévides: dynastie turque qui règne sur l'Afghanistan et le Penjab aux Xe et XIe siècles.

Hammam: installation de bains publics ou privés, conçue sur le modèle des thermes romains, avec ses salles froides, tempérées et chaudes. Les bains turcs comportent en particulier un espace où règne la vapeur à haute température.

Han: → *khan* et → caravansérail.

Haram: espace consacré de la mosquée où se déroule le rituel de la prière.

Hégire: littéralement «expatriation» de Mahomet quittant La Mecque pour Yathrib, qui devient Médine, la ville du Prophète (Medinat el-Nebi). L'événement qui eut lieu en 622 après J.-C. marque le début de l'ère islamique.

Hypostyle (salle): se dit d'un espace dont la couverture est soutenue par des rangées de colonnes ou de piliers formant des → nefs et des → travées multiples.

Intrados: surface inférieure curviligne d'un arc ou d'une voûte.

Iwân: espace architectural en forme de grande niche voûtée. Il est largement ouvert en façade et pourvu d'un encadrement plat. Son origine se situe en Perse.

Kaaba: centre sacré de l'Islam à La Mecque, où est vénérée la Pierre noire, dans le sanctuaire qu'aurait fondé Abraham. C'est le but du pèlerinage institué par le → Coran, et que tout musulman doit accomplir, une fois dans sa vie.

Karamanides: dynastie turcomane d'Anatolie, établie au XIIIe siècle dans la région de Konya. Elle tomba sous les coups des → Ottomans.

Khan: terme désignant un → caravansérail ou, dans les villes, un magasin où les marchands entreposent leurs denrées.

Khanka: nom arabe désignant un couvent de religieux musulmans. Il s'agit parfois de moines-soldats.

Kibla: mur de la mosquée orienté perpendiculairement à la direction de La Mecque, dans lequel est aménagée la niche du → *mihrab.* Lors de la prière, les fidèles se prosternent face à la *kibla.*

Kiosque: du turc *köshk,* désigne un pavillon d'agrément ouvert de tous côtés et construit en matériaux légers.

Külliyé: terme turc désignant l'ensemble des édifices d'une fondation pieuse entourant une mosquée: elle se compose, par exemple, d'une ou de plusieurs → *madrasa,* ou écoles coraniques, d'un hôpital ou dispensaire, d'une → *khanka,* ou monastère, d'un asile d'aliénés, d'une fontaine et de → *türbé,* ou tombeaux, etc.

Madrasa: école coranique, dont la formulation architecturale s'inscrit souvent dans la tradition de la mosquée à cour persane, dotée d'*iwân*. Les Turcs la diffusent comme instrument de reconquête par l'orthodoxie sunnite des territoires où s'est exercée la propagande des → Chiites.

Mamelouks: terme qui désigne littéralement des esclaves-soldats, souvent d'origine turque, qui s'emparent du pouvoir en Égypte et en Inde et forment des dynasties puissantes.

Mihrab: niche surmontée d'une petite voûte en → cul-de-four, ménagée dans le mur de la → *kibla.* Il indique la direction de La Mecque, vers laquelle le croyant se tourne pour la prière.

Minaret: Haute tour du sommet de laquelle le → muezzin lance –

cinq fois par jour – l'appel à la prière musulmane.

Minbar: Chaire surélevée, disposée à droite du → *mihrab,* du haut de laquelle le prédicateur s'adresse aux fidèles dans la mosquée.

Muezzin: personnage qui lance l'appel à la prière islamique, en psalmodiant: «Allah est grand. J'atteste qu'il n'y a pas d'autre Dieu qu'Allah. J'atteste que Muhammad est l'envoyé d'Allah. Venez à la prière. Venez au salut.» Le premier muezzin fut le Noir Bilal.

Mukarna: stalactites à caractère ornemental qui tapissent les encorbellements d'un édifice. Ces alvéoles en nid-d'abeille ont progressivement perdu leur caractère structurel.

Mur-tympan: mur diaphragme fermant l'espace sous un grand arc portant une coupole.

Nef: en architecture, vaisseau longitudinal d'un édifice, par opposition à la → travée qui est une subdivision transversale.

Oculus: baie en forme d'ouverture circulaire ménagée au sommet d'une coupole.

Omeyyades: dynastie arabe islamique qui, à Damas, succède aux premiers califes de Médine. Elle est fondée par Moawiya en 660 et s'achève en 750 au Proche-Orient, alors qu'en Espagne elle se perpétue jusqu'en 1031.

Osmanli: personnage de la dynastie des → Ottomans. Les Osmanli désignent plus généralement les Ottomans.

Ottomans: dynastie de sultans turcs, fondée au XIIIe siècle par Osman Ier. Elle règne sur un vaste empire et ne s'achève qu'en 1922, après avoir porté la puissance turque à son apogée aux XVIe et XVIIe siècles.

Pèlerinage: obligation que fait l'Islam à tous les croyants de se rendre une fois au moins dans leur existence sur les lieux saints de Médine et de La Mecque pour y accomplir un rituel complexe, culminant par la circumambulation autour de la Pierre noire de la Kaaba.

Pendentif: terme d'architecture désignant, dans un espace couvert d'une coupole, les triangles sphériques concaves formant la liaison entre le plan carré et la base circulaire du dôme. Se distingue de la → trompe.

Pishtak: terme iranien désignant un grand portail à large encadrement, avec une niche en forme → d'*iwân* qui donne accès aux mosquées, → *madrasa,* → *khanka* et → caravansérails.

Plissé turc: formule originale qui est mise en œuvre par les premiers architectes ottomans, en particulier à Bursa et qui constitue une transition géométrique composée de surfaces triangulaires saillantes et rentrantes. Cette zone – qui remplace les → pendentifs et les → trompes – forme une liaison intermédiaire entre le plan carré et la base d'une coupole circulaire.

Portique: structure architecturale se composant d'éléments porteurs – piliers ou colonnes – qui forment un organe continu appelé à jouer le rôle de support en façade ou à l'interieur d'un espace couvert. Le portique peut comporter des architraves ou des arcs. Dans ce dernier cas, on le qualifie aussi d'arcade.

Roum (Seldjoukides de): désigne les Roumi, ou Romains, pour qualifier les Byzantins. L'empire seldjoukide de Roum règne sur l'Anatolie et, progressivement, sur la rive nord du Bosphore et sur l'Europe orientale.

Safavides (ou Séfévides): dynastie chiite persane qui règne sur la Perse de 1502 à 1736. Sous Shah Tahmasp Ier, elle cède la Mésopotamie aux sultans ottomans. Mais Shah Abbas Ier le Grand rétablit l'empire persan.

Samanides: dynastie islamique persane qui règne en Perse et en Transoxiane de 874 à 999. Elle englobe le Khorasan et le Séistan et a pour capitale Boukhara.

Sassanides: dynastie persane en lutte contre les Romano-Byzantins. Elle règne de 224 à 651 après J.-C. sur un empire qui va de la Mésopotamie à l'Indus. Rivale des Byzantins, elle s'effondre devant l'avance foudroyante des tribus arabes au milieu du VIIe siècle.

Seldjoukides: dynastie de sultans d'origine turque provenant d'Asie centrale qui règne sur la Perse aux XIe et XIIe siècles. Après avoir pris Bagdad en 1055 et battu les Byzantins à Mantzikert en 1071, les Turcs pénètrent en Anatolie. On distingue alors les Grands Seldjoukides de la Perse et les Seldjoukides de → Roum (du mot Roumi, ou Romain, désignant les Byzantins) d'Asie Mineure.

Stalactites: → *mukarna.*

Stéréotomie: art de tracer et de découper les pierres de taille qui composent un édifice en appareil lithique.

Sunnites: adeptes de l'orthodoxie islamique qui se fondent sur la *Sunna,* loi représentée par le → Coran et les *Hadiths*, qui forment la Tradition.

Tekké (ou Tekkiyé): désigne un bâtiment où se réunit une congrégation de → derviches; couvent d'un ordre islamique.

Temenos: terme grec qualifiant une aire sacrée: terrain ou espace urbain consacré à une divinité.

Tiers-point: se dit d'un arc brisé dont les deux branches concaves ont pour centres des points qui divisent la corde en trois parties égales.

Tour-lanterne: tourelle munie de baies qui couronne une coupole ou un plafond, éclairant l'espace interne qu'elle surmonte.

Travée: unité spatiale transversale dans un espace couvert. La travée s'oppose à la → nef, qui est longitudinale.

Triangle turc: formule particulière de liaison entre le plan carré d'un édifice et la base circulaire de la coupole. Il est réalisé au moyen d'une surface triangulaire (non concave) qui est inclinée aux quatre angles de la salle, évitant le recours tant aux → trompes qu'aux → pendentifs.

Trompe: petite voûte disposée en diagonale et qui franchit un angle rentrant. Les quatre → trompes qui soutiennent une coupole transforment le carré en octogone. Elles permettent d'opérer la transition entre un espace couvert, de plan carré, et la base circulaire d'un dôme.

Türbé: terme turc désignant un mausolée. Il s'agit en général d'un édifice en forme de tour ronde, octogonale ou polygonale, contenant une chambre funéraire et surmonté d'une haute couverture conique.

Vizir: premier ministre d'un souverain musulman.

Yali: maison de plaisance turque en bois, construite en bordure de mer, dont les salles de réception surplombent parfois l'eau. Ce genre de construction est typique des bords du Bosphore.

Bibliographie

Akurgal, Ekrem: *L'Art en Turquie*, Fribourg, 1981.

Arts de Cappadoce, «L'Architecture», par Paolo Cuneo et alii, Genève, 1971.

Aslanapa, Oktay: *Turkish Art and Architecture*, Londres, 1971.

Atil, Esin: *The Age of Sultan Süleiman the Magnificent*, New York, 1987.

Babinger, Franz: *Mahomet II le Conquérant et son temps (1432–1481)*, Paris, 1954.

Barkan, Ömer Lufti: *L'organisation du travail dans le chantier d'une grande mosquée à Istanbul au XVIe siècle*, in: Annales, Économies, Sociétés, Civilisations, 6, 1962.

Braudel, Fernand: *La Méditerranée et le monde méditerranéen à l'époque de Philippe II*, Paris, 1949.

Dagron, Gilbert: *Constantinople imaginaire*, Paris, 1984.

Egli, Ernst: *Sinan, der Baumeister osmanischer Glanzzeit*, Zurich, 1954.

Encyclopédie de l'Islam, 1ère édition, Leyde, 1913–1938, 2e édition, Leyde, 1960, en cours.

Erdmann, Kurt: *Die anatolische Karavansaray des 13. Jahrhunderts*, 3 vols., Berlin, 1961–1976.

Gabriel, Albert: *Les Mosquées de Constantinople*, in: Syria VII (1926), p. 359–419.

Gabriel, Albert: *Les Monuments turcs d'Anatolie, 2 vols.*, Paris, 1931–1934.

Goodwin, Godfrey: *A History of Ottoman Architecture*, Baltimore, 1971.

Gurlitt, Cornelius: *Die Baukunst Konstantinopels*, 2 vols., Berlin, 1912.

Hoag, John D.: *Western Islamic Architecture*, New York, 1963.

Inalcik, Halil: *The Ottoman Empire, Conquest, Organization and Economy*, Londres, 1978.

Kühnel, Ernst: *Islamic Art and Architecture*, Londres, 1966.

Mantran, Robert: *Histoire de la Turquie*, Paris, 1952.

Michell, George (Éd.): *Architecture of the Islamic World*, Londres, 1978.

Roux, J.-P.: *Histoire des Turcs*, Paris, 1984.

Scheja, Georg: *Hagia Sofia und Templum Salomonis*, in: Istanbuler Mitteilungen, 12, Tübingen, 1962.

Soliman le Magnifique et son temps, Rencontres de l'École du Louvre, Paris, 1992.

Stchoukine, Ivan: *La Peinture turque d'après les miniatures illustrées*, Paris, 1966.

Stierlin, Henri: *Architecture de l'Islam, de l'Atlantique au Gange*, Fribourg, 1979.

Stierlin, Henri: *Architecture islamique*, Paris, 1993.

Stierlin, Henri: *Islam de Bagdad à Cordou, Des origines au XIIIe siècle*, (= Taschen-Architecture mondiale), Cologne, 1996.

Stierlin, Henri: *Soliman et l'Architecture ottomane*, Fribourg, 1985.

Stratton, Arthur: *Sinan*, New York, 1972.

Tanindi, Zeren: *Siyer-i Nebi*, Istanbul, 1984.

Ünsal, Behçet: *Turkish Islamic Architecture in Seljuk and Ottoman Times*, Londres, 1973.

Vogt-Göknil, Ulya: *Turquie ottomane*, (= Architecture universelle, 14), Fribourg, 1965.

Yérasimos, Stéphane: *La Fondation de Constantinople et de Sainte-Sophie dans les traditions turques*, Paris, 1990.

Yérasimos, Stéphane: *Istanbul*, La mosquée de Soliman, Paris, 1997.

Yetkin, Suut Kemal: *L'Architecture turque en Turquie*, Paris, 1962.

Index – Monuments

Index – Personnes

Remerciements et credits

L'éditeur, l'auteur et les photographes de cet ouvrage consacré à l'architecture de la Turquie seldjoukide et ottomane expriment aux Autorités turques leur reconnaissance pour les facilités accordées sur les sites et dans les musées, lors des diverses missions effectuées dans le pays pour réunir l'illustration de cette étude.
Ils remercient tout spécialement le Ministère de la Culture à Ankara, la Direction du Musée et de la Bibliothèque de Top Kapi Saray, à Istanbul, ainsi que la Direction du Tourisme de la région de Kayseri.
Ils signalent également que certains documents photographiques sont dus à:
Page 3: © 1986 The Metropolitan Museum of Art, New York
Page 13, 200–201 et 205: © Giovanni Ricci, Milan
Page 34: © Roland & Sabrina Michaud / Rapho, Paris
Page 38, 199 et 227: © Werner Neumeister, Munich
Page 74 au milieu à gauche: © Francescini – Zodiaque, St-Léger Vauban
Page 74 en bas à gauche: © Dieuzaide – Zodiaque, St-Léger Vauban
Page 75 à gauche: © Zodiaque, St-Léger Vauban
Page 198: © Maximilien Bruggmann, Yverdon
Ils remercient enfin tout spécialement Alberto Berengo Gardin pour la réalisation des plans figurant en pages 9, 25, 27, 28, 29, 35, 46, 51, 72, 73, 80–81, 83, 85, 92, 96, 101, 104, 110, 117, 119, 120, 126, 127, 130, 143, 146, 153, 157, 162, 171, 172, 182, 184, 189 et 220.

Dietrich Wildung

egypt
From Prehistory to the Romans

TASCHEN

Egypt
From Prehistory to the Romans
Dietrich Wildung
240 pp., c. 300 colour ills.
Softcover

Henri Stierlin

TASCHEN

Greece
From Mycenae to the Parthenon
Henri Stierlin
240 pp., c. 300 colour ills.
Softcover

Hasan-Uddin Khan

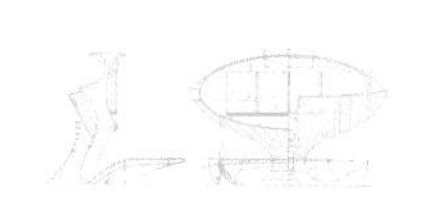

TASCHEN

International Style
Modernist Architecture from 1925 to 1965
Hasan-Uddin Khan
240 pp., c. 300 colour ills.
Softcover

Henri Stierlin

the maya
Palaces and pyramids of the rainforest

TASCHEN

The Maya
Palaces and pyramids of the rainforest
Henri Stierlin
240 pp., c. 300 colour ills.
Softcover

Philip Jodidio

new forms
Architecture in the 1990s

TASCHEN

New Forms
Architecture in the 1990s
Philip Jodidio
240 pp., c. 300 colour ills.
Softcover

Xavier Barral i Altet

the romanesque
Towns, Cathedrals and Monasteries

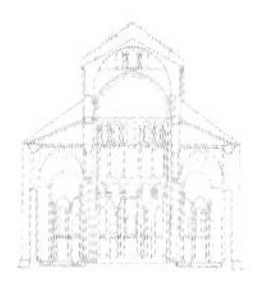

TASCHEN

The Romanesque
Towns, Cathedrals and Monasteries
Xavier Barral i Altet
240 pp., c. 300 colour ills.
Softcover

"An excellently produced, informative guide to the history of architecture. Accessible to everyone."
Architektur Aktuell, Vienna

"This is by far the most comprehensive review of recent years."
Frankfurter Rundschau, Frankfurt